瀬戸内国際芸術祭と地域創生

現代アートと交流がひらく未来

狭間恵三子 著

学芸出版社

はじめに

近年、日本各地で文化芸術を活かした地域振興が注目されている。地域活性化の方向性がハードからソフトへ転換するなかで、多様なアート活動と地域を巻き込む芸術祭が数多く生まれている。日本における芸術祭のスタートは、1952年に毎日新聞社の主催で始まった日本国際美術展（東京ビエンナーレ）である。アジア最初のビエンナーレ形式の国際美術展だったが、1990年を最後に終了した[注1]。

その後、2000年に新潟県の越後妻有地域で大地の芸術祭、2001年に横浜トリエンナーレが始まると、日本各地で「芸術祭」と呼ばれるアートイベントが開催されるようになった。日本の芸術祭は、農山村や離島で開催される地域型芸術祭と、横浜トリエンナーレに代表される都市型芸術祭に大きく分けられる。過疎・高齢化が進む農山村や離島で、現代アートを活かして地域を元気づける地域型芸術祭は、日本独特のものである。自然や歴史、生業、食など地域の伝統的な文化と現代アートの、ミスマッチともいえる出合いを通して地域を刺激し、その魅力を顕在化する。そして人々の交流を生み出し、地域を活性化させる。地域型芸術祭は21世紀の新しい芸術活動であると同時に、地域おこし運動である。

2010年の第1回に93万人を超える来場者を集めた瀬戸内国際芸術祭は、2019年の第4回には、世界32の国／地域から230組のアーティストが参加した。過去最高の118万人の来場者を集め、日本最大の芸術祭として注目された。

瀬戸内国際芸術祭は瀬戸内海の島々を舞台に開催される。風光明媚である。半面、公害やハンセン病の隔離島など重い歴史を背負いながらも、島民は、漁と畑作を生業にして島の暮らしを守り、受け継いできた。芸術祭は、そうした日本近代史（産業史、および地域社会史）を凝縮する島の歴史に向き合い、現代アートを対峙させる試みである。

瀬戸内国際芸術祭２０１９の経済波及効果は１８０億円に達した。しかし、話は経済効果に終わらない。驚くほど多くのサポーターが芸術祭の運営に参加する。アジアを中心に欧米からも駆けつける。島民とアーティスト、サポーターの交流が地域を元気にする。島の人々がささやかな商いを始める。それを起爆剤にし、芸術祭が移住／定住の輪を広げる。

「国際」芸術祭を名乗るに相応しい、興味深い波及効果である。決してアクセスがいいとはいえない瀬戸内海の離島に、なぜ国内外から多くの人々が訪れるのだろうか。彼らを惹きつける芸術祭の魅力はどこにあるのだろう。

林立する芸術祭に対し、均質化、肥大化、陳腐化といった批判がある。[注2] 住民の主体性や内発性が必ずしも要件とされていない、という指摘もある。[注3] 人口減少地域で開催される芸術祭は、とくに手間と時間がかかる。静かに暮らしたいと思う地域住民と摩擦を生むこともある。しかし、訪れる人たちだけではなく、それを迎える地域の人たちが芸術祭をきっかけに自らの地域を再発見し、自分たちの住む地域への誇りや愛着を育むことにつながれば、その意義は大きい。

瀬戸内国際芸術祭の島々を巡ると、アートは、瀬戸内の自然と出合い、島々の歴史を知り、人々の生活を感じるための案内役になる。ただそこを訪れただけとは異なる新しい視点、発見をもたらしてくれる。アーティストが朽ちかけた古民家に配する生活用品の数々は、人の不在をより強く感じさせ、過去の営みや豊かさへの思いを起こさせる。ハンセン病の療養所がある大島の入所者が自力でつくった散策路を歩くことは、大島に閉じ込められた人々の悲しみと日々のささやかな楽しみを追体験する心持ちにつながる。島のお母さんたちが地元の食材を使って拵える料理は、アーティストがつくる空間の中でよりいっそう美味しく、嬉しい食の風景となる。

笑顔で少し誇らしげに作品や地域のことを教えてくれる地元の人、芸術祭の一端を担う元気なボランティアサポーター、往復の船中や作品展示の場で出会う来場者同士の微かな仲間意識 ― こうした芸術祭で出会う人々との交わりも、都会の人々を惹きつける大きな理由の一つである。

地域の未来を少しでも動かすことができる芸術祭をつくりあげる。それを長期的なスパンで育む。住民自身も気づいていない地域の資源、地域の宝を、そこに住む人々の矜持につなげる。芸術祭を機に移住する人や地域と多様に関わる関係人口を、地域の新しい産業の振興や地域コミュニティを長期的に支える担い手に育てる。そのためには何が必要だろうか。

芸術祭が一過性のイベントで終わることなく、①来場者と住民の双方が地域を再発見する機会につなげる、②地域の生活に根づき、地域創生を育む芸術祭にする ― そのための知見、および要諦を、瀬戸内国際芸術際の企画・運営をとおして学ぶことが本書の目的である。芸術祭におけるアートの役割、社会課題との向き合い方、芸術祭のマネジメント、芸術祭が地域にもたらしたもの、さらには芸術祭の国際性など、さまざまな角度から瀬戸内国際芸術祭を調査・分析し、課題の解を探っていきたい。

なお、本書の構成は、以下のとおりである。

1章で、瀬戸内国際芸術祭を概観したうえで、地域型芸術祭の嚆矢である大地の芸術祭について取り上げる。瀬戸内国際芸術祭に10年先駆けて開催された大地の芸術祭は、過疎高齢化が進む中山間地域で、現代アートを媒介として地域資源や里山の文化を再発見し、世代や地域を超えた広範な人々の交流を促そうというそれまでにない試みであった。大地の芸術祭を開催するに至った経緯、芸術祭による地域づくりの効果としてソーシャルキャピタル（社会関係資本）に着目した定量的な研究などから、芸術祭が地域づくりにどのような影響を与えたのか、その成果と課題を整理する。

2章以降は、瀬戸内国際芸術祭に焦点を当てる。

2章は芸術祭の舞台である瀬戸内海に着目する。瀬戸内国際芸術祭が、多くの人々を惹きつける要因の一つに「瀬戸内海」という場の力がある。「世界の宝石」と言われた瀬戸内海の歴史、自然、内海の島嶼と文化、景観等の特徴を概観するとともに、近代化のなかで傷ついてきた歴史に向き合い、瀬戸内国際芸術祭が100万人余の人々を呼び寄せるに至った歩みを辿る。

3章では、瀬戸内国際芸術祭がどのように運営されているか。実行組織のあり方や財政基盤など、マネジメントや継続の仕組みを検証する。

4章、5章では、多くの来場者、繰り返し芸術祭に参加するアーティスト、こえび隊として活動するサポーターの状況など、交流人口の拡大と地域との関わりについて考察する。島民の芸術祭への関わり方、移住者の増加などから島の変容を探る。

6章では、瀬戸内国際芸術祭の国際性、アジアをはじめ各国に伝播する芸術祭の影響について検証する。

7章では、行政が公共政策として芸術祭を実施する場合の課題や留意点を整理し、検討する。

終章では、日本を代表する地域型芸術祭である瀬戸内国際芸術祭から得られる知見を整理し、他地域や芸術祭にとって有意義な示唆を導き出したい。

目次

1章

「地方消滅」の危機に対峙する

——現代アートが地域資源を呼び覚ます——

1

「海の復権」を掲げた瀬戸内国際芸術祭

見込みの3倍以上の人が来場

2010年第1回瀬戸内国際芸術祭は、備讃瀬戸の直島(なおしま)、豊島(てしま)、女木島(めぎじま)、男木島(おぎじま)、小豆島、大島、犬島などの島々、そして高松港周辺を会場として、2010年7月19日から10月31日までの105日間にわたって開催された。「アートと海を巡る百日間の冒険」と名づけられたこの芸術祭は、「海の復権」をテーマに掲げた。島々の自然にアートを配し、来場者が船で島を巡りながら、アートとともに、自然や食、島の人との交流を楽しむ。18の国／地域から75組のアーティスト・プロジェクトが参加し、16のイベントが企画された。当初見込みの30万人を遥かに超え、94万人が来場した。

その後、3年おきに開催された。2013年第2回以降は、会期を春、夏、秋に分け、香川県中西部の沙弥島(しゃみじま)、本島、高見島、粟島(あわしま)、伊吹島と岡山県の宇野港周辺が加わった（図1・1）。

2019年第4回には、瀬戸内海の12の島々と二つの港周辺を舞台に、春、夏、秋会期で107日間開催され、118万人と過去最高の来場者を迎えた。参加作家は32の国・地域から230組。214作品が出展され、35のイベントが行われた。海外からの来場者の割合が23％と前回から10％増加し、国際芸術祭を名乗るに相応しい芸術祭となった。

２０２２年第5回も12の島と高松、宇野両港周辺を会場に、春、夏、秋、計１０５日間開催された。参加作家は33の国／地域から１８８組。２１３作品が出展され、19のイベントがあった。新型コロナウィルス感染症の影響で、前回は来場者の4分の1を占めていた外国人が激減。感染を警戒し国内の観光客も減り、来場者数は72万人にとどまった。最多だった２０１９年の61％に縮小し、過去最少だった。港や会場に検温スポットを設置し、室内の展示会場には換気用のサーキュレーターを備え付けるなど、徹

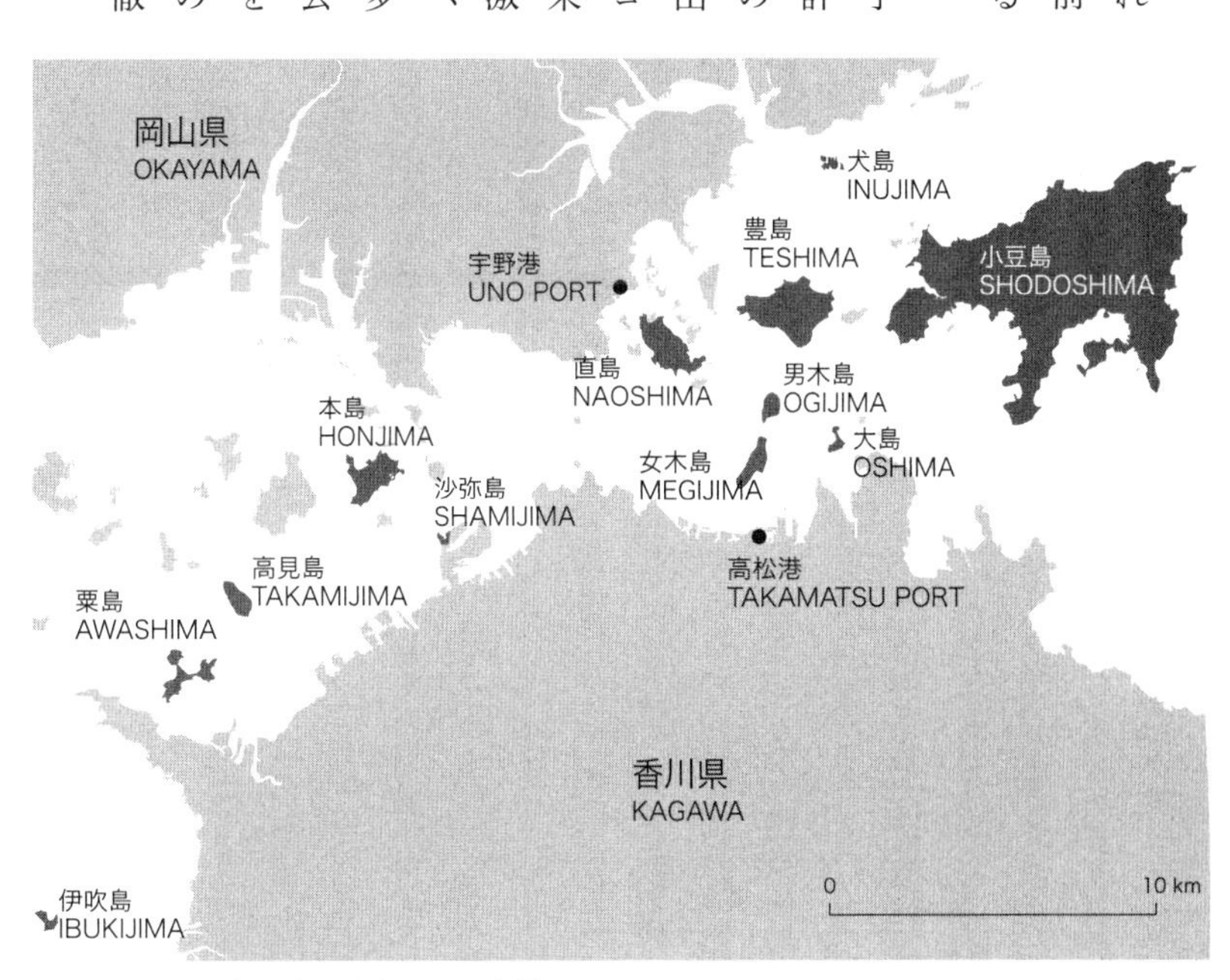

図１・１　瀬戸内国際芸術祭 2022 会場
（出典：瀬戸内国際芸術祭実行委員会 HP「ART SETOUCHI」より著者作成）

2016（第3回）	2019（第4回）	2022（第5回）
海の復権	海の復権	海の復権
「海でつながるアジア・世界と交流」 「瀬戸内の「食」を味わう食プロジェクト」 「地域文化の独自性の発信」	「瀬戸内の資源×アーティスト」 「アジアの各地域×瀬戸内の島々」 「島の「食」×アーティスト」 「芝居・舞踏の多様な展開」	「瀬戸内の里海・里山の隠れた資源の発掘と発信」 「国内・世界とのつながりの継続、より質の高い交流への転換」 「瀬戸内の魅力を発信していく「食」の充実・強化」 「持続可能な社会の実現に向けた取組みの推進」
春：3.20〜4.17（29日間）	春：4.26〜5.26（31日間）	春：4.14〜5.18（35日間）
夏：7.18〜9.4（49日間）	夏：7.19〜8.25（38日間）	夏：8.5〜9.4（31日間）
秋：10.8〜11.6（30日間）	秋：9.28〜11.4（38日間）	秋：9.29〜11.6（39日間）
（計108日間）	（計107日間）	（計105日間）
14会場 直島、豊島、女木島、男木島、小豆島、大島、犬島、沙弥島（春）、本島（秋）、高見島（秋）、粟島（秋）、伊吹島（秋）、高松港周辺、宇野港周辺	同左	同左
34の国／地域 226組	32の国／地域 230組	33の国／地域 188組
206点	214点	213点
37イベント	35イベント	19イベント
104万人	117.8万人	72.3万人
春：25.4万人	春：38.7万人	春：22.8万人
夏：40.1万人	夏：31.9万人	夏：18.7万人
秋：38.5万人	秋：47.3万人	秋：30.8万人
8.4万枚	10.1万枚	5.9万枚
13.9億円	13.2億円	12.8億円
12.4億円	12.3億円	12.0億円
139億円	180億円	103億円

名称	2010 （第 1 回）	2013 （第 2 回）
テーマ	海の復権	海の復権
シーズンテーマ、 重点的な取り組み等	「アートと海を巡る百日間の冒険」	「アートと島を巡る瀬戸内海の四季」
会期 （会場日数）	7.19 〜 10.31 （105 日間）	春：3.20 〜 4.21（33 日間） 夏：7.20 〜 9.1（44 日間） 秋：10.5 〜 11.4（31 日間） （計 108 日間）
会場	8 会場 直島、豊島、女木島、男木島、小豆島、大島、犬島、高松港周辺	14 会場 直島、豊島、女木島、男木島、小豆島、大島、犬島、沙弥島（春）、本島（秋）、高見島（秋）、粟島（秋）、伊吹島（夏）、高松港周辺、宇野港周辺
参加アーティスト・ プロジェクト数	18 の国／地域 75 組	26 の国／地域 200 組
アート作品数	76 点	207 点
イベント	16 イベント	40 イベント
来場者数	93.8 万人	107 万人 春：26.3 万人 夏：43.5 万人 秋：37.2 万人
作品鑑賞 チケット販売数	8.8 万枚	9.2 万枚
収入（3 カ年）	8.0 億円	11.8 億円
支出（3 カ年）	6.9 億円	10.2 億円
経済波及効果※	111 億円	132 億円

※経済波及効果の計算は 2010 は日本銀行高松支店、2013 は日本政策投資銀行と瀬戸内国際芸術祭実行委員会、2016、2019、2022 は日本銀行高松支店と瀬戸内国際芸術祭実行委員会の共同試算。香川県産業連関表等を用いて推計。

表 1・1　第 1 回から第 5 回までの瀬戸内国際芸術祭の概要（出典：各回総括報告より筆者

底的な感染対策が取られた。おかげで心配していた島民への影響や混乱はなく、無事閉幕した。

第1回から第5回までの瀬戸内国際芸術祭の概要は、表1・1のとおりである。

島ごとに異なる文化を楽しむ

人々は船に乗って島に向かう。都会からの来場者には、乗船と同時に非日常が始まる。瀬戸内国際芸術祭が開催されるまでは、四国本土からも、島に渡るのは釣り好きに限られていた。島外の人が島に行くことはめったになかったという。

瀬戸内海は、季節ごとに、そして1日のうちでも時間帯によってその色彩を変える。幾重にも重なる島の稜線が船の動きとともに移ろい、その風景に飽きることがない。時刻によって風や潮の流れが変わる。島並も刻々と変化する。夏の夕凪の時は、海面が鏡のようになる。そこに夕日が映り込み、やがて島影に沈む様は絶景である。

芸術祭では、自然に溶け込み、自然の魅力をより深く体感できるアート作品が各島に置かれる。豊島美術館は、開口部から光や風が注ぎ、空を仰げる。床から水が湧き出て流れる。自然の生成を静かに感じる空間である。女木島の防波堤に並ぶ「カモメの駐車場」は、目に見えない風の形を、カモメたちの立ち姿が視覚化する。

瀬戸内は、距離の近い隣の島の間でも、風景、植栽、歴史、文化、食が異なる。大正時代から製錬所

太陽の動きに沿って色を変える瀬戸内海の夕景（筆者撮影）

が立地する一方ハマチの養殖が盛んな直島。豊かな水に恵まれ、棚田が広がる豊島。「オトシ」と呼ばれる強風が吹きつける女木島。急峻な坂道を「オンバ」と呼ばれる乳母車で荷を運ぶ男木島。塩づくりに代わる産業として始まった醤油づくりや素麺、オリーブ栽培が広がる小豆島。１９０９年にハンセン病の療養施設である「国立療養所大島青松園」が開設され、以後、90年間隔離政策がとられた大島。１９０９年から10年間だけ精錬所が開業した犬島。かつて塩田が広がっていた沙弥島。塩飽（しわく）諸島の中心として高い操船技術を育んだ本島。除虫菊が栽培された高見島。日本初の海員学校があった粟島。いりこ漁で知られる伊吹島。

　島ごとに異なる生活や生業、風習、歴史に密接に関連した作品が多数展示される。

木村崇人「カモメの駐車場」（筆者撮影）
風の向きが変わるとカモメもいっせいに方向を変える。

栗林隆「伊吹の樹」（筆者撮影）
かつて生命の誕生の場であった出部屋の跡地につくられている。内側は全面鏡が張られ空を映す。

伊吹島には、「出部屋」と呼ばれる、出産前後を女性だけで集団生活する習俗があった。産婦は家事から解放され、ゆっくり産前産後の養生をすることができた。その習慣がなくなり、「出部屋」は1970年に撤去されたが、島民は跡地を神聖な場所として守り続けている。そこに2019年から栗林隆氏の作品「伊吹の樹」が置かれている。来場者は、万華鏡のように張り巡らせた鏡に映る島の景色に入る。そして伊吹島に生まれた一人になる。

高見島は、最盛期には島が花で真っ白になったというほど除虫菊栽培が活発だった。芸術祭では、花をモチーフにした作品が、島の原風景を浮かび上がらせる。各島の空き家や廃校を使ったインス

豊島「島キッチン」の特製弁当（筆者撮影）
豊島産・香川県産にこだわり、旬の食材をいかす。

「福田の潮風弁当」（写真：しまもよう（牧浦知子））

タレーションでは、不在が可視化される。かつてそこで暮らしていた人たちの気配を映し出し、過ぎ去った子どもたちのにぎやかな声を反照する。

アートの視覚的なおもしろさに自然の風景や人々の暮らし、文化などの文脈が加わる。それによって島を訪ねた印象が深くなる。

島には、独特の食文化が残っている。食は島の生活そのものである。人々が交流するきっかけになる。島の食材や料理を来場者に楽しんでもらうために島の人たちが厨房に立つ。豊島の「島キッチン」は、建物自体がアート作品である。島の野菜や果物、近海の魚、棚田の米を味わえる。小豆島の福田では、島の食材を使った創作弁当が用意されている。犬島チケットセンターでは、たこ飯など島民と共同開発したメニューを楽しめる。いりこ漁が盛んな伊吹島の「うららの伊吹島弁当」は、平均年齢75歳の島のお母さんたちがつくる漁師飯である。島の人々の暮らしや工夫が詰まった「食」には、島ごとに異なる特色、文化を味わう楽しみがある。

瀬戸内国際芸術祭の目指すもの

瀬戸内海は、奈良時代以前から交通の大動脈として機能した。おかげで古くから文化がひらけ、陸路が発達するまでは、日本の交通・流通の主役を務めてきた。民俗学者の宮本常一は、著書『瀬戸内文化誌』の冒頭、大阪という町の発達を促した要因のなかで最も大きな条件は、瀬戸内海に面していたこと

表1・2　第1回瀬戸内国際芸術祭の会場となった各島の人口と高齢化率
（出典：2005年国勢調査、『瀬戸内国際芸術祭 2010』）

	人口（人）（2005年）	世帯数（世帯）（2005年）	高齢化率（%）（2005年）
直島	3,476	1,485	27.9
豊島	1,141	508	43.7
女木島	212	117	57.1
男木島	189	108	61.4
犬島	65	36	56.9
大島	197	137	-
小豆島	32,527	12,839	31.7

である、と記している。島民は、漁業、塩田、さつまいもや綿の栽培、機織り業、水運業、船大工、石工に従事し、瀬戸内の温暖な気候と豊穣な海、地味のこえた田畑から多くの収穫を得た。船で日本海側へ、九州へ、江戸へと沿岸のさまざまな物資を運び、また、帰途には、石炭や海産物、米、ニシン、昆布などを積んで戻った。

しかし、昭和30年代、高度経済成長期に入ったころから、沿岸に石油、パルプ、製鉄、造船、繊維関係の工場が建ち並び、島の人々もそこに働きに出るようになった。海が汚れてくると漁獲量が減り、島民の生活が変わった。陸路の発達とともに、船の輸送も減り、島を出て他へ移住する人が多くなった。[注1] 各島の人口は減少し、過疎高齢化が進む。空き家が増え、田畑が荒れ、コミュニティが成り立たなくなってきた。

2010年第1回芸術祭の開催会場となった各島の人口、高齢化率は表1・2のとおりである（2005年 国勢調査他）。最も人口の多い小豆島は人口3万3千人、高齢化率は32%である。人口が65人と最も少ない犬島は、高齢化率が57%。大島を除けば最も高齢化率が高いのは男木島の61%である。現在、すべての島が離島振興法の離島振興対策実施地域である。

瀬戸内国際芸術祭は、少子高齢化と過疎にある島、今もその島に住み、静かに暮らしを紡いでいる人々を元気にしたい、ということが発起だった。
瀬戸内国際芸術祭総合プロデューサーの福武總一郎氏は、瀬戸内国際芸術祭に先駆けて1980年代終わりから直島文化村構想に関わり、ベネッセアートサイト直島の活動を先導してきた。そして直島での活動も、瀬戸内国際芸術祭も、「来訪者のためでもアーティストのためでもない。島に暮らす人のためである。地域を再生させるためである」と言い切る。[注2]
瀬戸内国際芸術祭総合ディレクターの北川フラム氏も、「芸術祭のテーマ『海の復権』には、島の厳しい現実のなかで、そこに暮らすおじいさん、おばあさんにもっと元気になってもらいたい、という願いを込めている。島を守ってきた先祖への感謝、島で生きてきたことに対する誇り。その誇りを基盤にして島の展望をつくりたい。芸術祭を継続していくことで地域の課題に向き合っていきたいと思った」と話す。[注3]
作品のある「場所」はどういうところか。周囲にはどのような風景が広がっているのか。場所と歴史の間にはどのような関わりがあるのか。それをアートを通して明らかにする。芸術祭の主人公は「場所」である。
そこには、「近代化の中で追い求めてきた効率化とはかけ離れた島が持つ豊かさに気づき、その再興を考えることが、未来を考えるきっかけになる」という主催者の思いがある。香川県や瀬戸内海だけの問題ではなく、世界のさまざまな地域で起きている課題に通じる。それゆえに、瀬戸内国際芸術祭の理念、方法、仕組みづくりには、他の地域で応用可能な普遍的な意義がある。瀬戸内国際芸術祭で起きていること――島民とアーティストの協働、島民とボランティアサポーター・来場者の交流、地域の魅力の再発見、地域への矜持、生業の復活、新しい仕事の誕生、若い移住者の増加、コミュニティの再生――それが芸術祭に関わる人々の願いである。それらは、瀬戸内海が「希望の海」になると同時に、瀬戸内海を超えた「希望」につながっていく。

2 地域型芸術祭のパイオニア「大地の芸術祭」

アートプロジェクトと芸術祭

アートプロジェクトの定義・概念には、さまざまな提唱がある。美術館などの専用施設外で開催する、主に現代アートを中心とした芸術活動といった「場所」を重視する考え方がある。それに対し作品制作も含めプロジェクトのプロセスを重視し、その過程で社会や地域課題にアプローチしていくことを評価する、公共政策面に着目する考え方がある。あるいは地域の人々をはじめさまざまな人の関わり―

概念・定義	提唱者
地域の過疎化や疲弊といった社会問題、あるいは福祉や教育問題など、さまざまな社会問題、文化的課題へのアートによるアプローチを目的としながら展開している文化事業、ないしは文化活動（注4）	小泉元宏
「芸術を地域に投げかける社会的活動」。「地域」とは、全国各地の都市部、農村部、山間部、島嶼部等、人々が生活する場所や空間のことである。「芸術を投げかける」とは、芸術家や地域住民等が、現代芸術の表現活動を地域において実践することである（注5）	谷口文保
「現代美術を中心に、1990年代以降日本各地で展開されている共創的芸術活動。作品展示にとどまらず、同時代の社会の中に入りこんで、個別の社会的事象と関わりながら展開される。既存の回路とは異なる接続／接触のきっかけとなることで、新たな芸術的／社会的文脈を創出する活動」（注6）	熊倉純子
「アートプロジェクトは、優れてサイトスペシフィックな活動であり、場所の問題は最重要課題」（注7） その特徴は以下の5点 ①社会的課題や地域の歴史・文化などに関わるテーマ ②作家と住民のコラボレーションによる作品制作 ③制作物としての作品よりその制作過程を重視 ④美術館以外のオルタナティブなスペースにおける制作・展示 ⑤産業遺産や廃校などサイトスペシフィックな場所へのこだわり	野田邦弘
「アートプロジェクトとは、①サイトスペシフィック型の作品や参加・協働型の作品などを展開する現代アートを中心とした芸術活動で、②美術館や劇場のような専用施設以外を主に会場とする。③人々の自発性にコミットしたり、場所の特性を活かしたり、地域・社会課題解決につなげることを目的として行われることも多いが、芸術文化の創造自体を目的として行われることもある（注8）	吉田隆之

表1・3　アートプロジェクトの主な概念・定義（出典：筆者作成）

コラボレーションやコミュニケーションが大切であると考える人々がいる。

アートプロジェクトの概念・定義についての主な論考は（表1・3）のとおりである。

芸術祭は、「各種芸術の祭典。音楽祭、演劇祭など部門別および総合的な芸術祭などがあり、世界各地で多様な形で行われている」[注9]が一般的な意味である。アートプロジェクトと明確に区別されるわけではない。提唱されている定義を踏まえ、アートプロジェクトの特徴を「美術館以外のオルタナティブなスペースで行われる」といった場所性に重きを置けば、横浜トリエンナーレやあいちトリエンナーレのような美術館を主な開催場所にする芸術祭は、アートプロジェクトに含まれないことになる。地域住民と芸術家の協働やコラボレーションなど制作過程を重視すれば、現代美術やアーティストの紹介を重視する芸術祭もアートプロジェクトに含まれない。したがって芸術祭＝アートプロジェクトというのは、必ずしも正確ではないということになる。

本書は、地域型芸術祭である瀬戸内国際芸術祭を中心に取り上げる。「地域型芸術祭」を、地域の過疎化・疲弊などの社会課題に対して、同時代の芸術表現を通じてアプローチし、課題の解決に繋げることを目指す芸術活動としてとらえる。そして地域の歴史・文化を再発見し、住民、アーティスト、ボランティアサポーター、来訪者など、人々の自発的な活動やコミュニケーションを誘発する効果に着目する。

芸術祭の古参は、ヴェネツィア市主催のヴェネツィア・ビエンナーレ国際美術展である。1895年の第1回展では、ギュスタブ・モローやアーノルド・ベックリンなど15カ国のアーティストが参加した。20世紀になると、ヴェネツィアのジャルディーニ（公園）に各国のパヴィリオンが並び、国家代表の作品を出展し、賞を争うようになった。オリンピックや万国博覧会と同じように、国家が威信をかけて競い合うようになった。二度の大戦中は中止になったり、大国主義、商業主義への反発等から作家が出品を拒否して受賞制度が廃止された時期などもあったが、現在も現代美術の国際展として継続している。

これに対しドイツの地方都市カッセルで開催されているドクメンタは、ナチス統制下にモダニズム芸術を「頽廃芸術」と弾圧した過去を反省し、開始された展覧会である。1人のディレクター（もしくはチーム）が、あるテーマのもとにすべての作品選定を担う形式である。4～5年に一度に開催される。カッセルは、旧東ドイツとの国境付近に位置していた。そのため冷戦下では、西側諸国の芸術を東側諸国にアピールする狙いも込められ、政治状況の影響を受けた。かつては「欧米偏重」との指摘があった[注10]が、近年は非西欧圏の作家やディレクターが選出されることがある。

１９７７年に始まったミュンスター彫刻プロジェクトは、ドイツ北西部の都市ミュンスターで10年に一度開催される芸術祭である。今ではヨーロッパ三大芸術祭（ヴェネツィア・ビエンナーレ、ドクメンタ、ミュンスター彫刻プロジェクト）に数えられる。きっかけは１９７３年、ミュンスターにアメリカ人彫刻家Ｇ・リッキーの彫刻が寄贈され、それを街に設置しようとした時、市民の間から反発が起きたことにある。これを機に公共性と芸術性を巡るさまざまな議論が紛糾した。そして現代芸術と公共性の関係を問うために、20世紀彫刻を紹介する展覧会をヴェストファーレン州立美術館のキュレーター、Ｋ・バスマンが企画した。１９７７年の第1回展は、この展覧会のプロジェクトの一環として企画された。やがてミュンスターの市街地や公園などまち全体を活用する大規模な屋外彫刻展に発展した。

アーティストは事前にまちに滞在し、リサーチを重ね、「場所」との関係性を重視した作品を制作する。芸術家が地域と関わり、住民と交わってその「場所」に最適な作品を生み出していく、という公共空間におけるサイトスペシフィックな要素を持つプロジェクトである。近年は彫刻だけでなく、パフォーマンスや映像分野にも広がっている。

3年に一度開催される国際展がトリエンナーレ、2年に一度開催される国際展がビエンナーレである。芸術祭開催の経緯や目的はそれぞれである。初期の芸術祭では、自国の現代美術を紹介することを主な目的とするところが多かったが、昨今は地域の特性、特色を強調する傾向にある。[注11]

1990年代以降、韓国の光州ビエンナーレや台湾の台北ビエンナーレなど、アジアでも芸術祭が増えている。日本では、2000年に新潟県越後妻有地域で「大地の芸術祭」、2001年に横浜市で「横浜トリエンナーレ」が開催されて以降、国内の大都市や地方で国際展、トリエンナーレ、ビエンナーレなどの芸術祭が開催されるようになった。日本の芸術祭は、農山村や離島で開催される「地域型」と「大都市型」に大きく分けられる。前者には、「大地の芸術祭」（新潟県十日町市・津南町）。「BIWAKOビエンナーレ」（滋賀県近江八幡市、彦根市）、「中之条ビエンナーレ」（群馬県中之条町）、「瀬戸内国際芸術祭」（香川県、岡山県玉野市等）、「奥能登芸術祭」（石川県珠洲市）、「リボーンアートフェスティバル」（宮城県石巻市、牡鹿半島）などがある。後者には、「横浜トリエンナーレ」（神奈川県横浜市）、「あいちトリエンナーレ」（愛知県名古屋市等）、「さいたま国際芸術祭」（埼玉県埼玉市）、「札幌国際芸術祭」（北海道札幌市）、「東京ビエンナーレ」（東京都千代田区、中央区、文京区、台東区）などがある。

「横浜トリエンナーレ」は、当初、外務省所轄の独立行政法人国際交流基金がコンテンツをつくり、会場を探しているなかで横浜が選ばれた。第1回（2001年）から第3回（2008年）までは、事務局機能も国際交流基金が担っていた。第4回以降は、運営主体が横浜市に移った。以降、文化庁の支援を受けたナショナルプロジェクトという側面を残しつつ、文化芸術創造都市横浜を象徴するプロジェクトに育った。

「横浜トリエンナーレ」が都市型の芸術祭の始まりとすれば、「大地の芸術祭」は、過疎地や地方で行われる地域活性化を目的として開催される地域型芸術祭の先駆けである。世界有数の豪雪地帯である新潟・越後妻有地区の広大なエリアに散在する膨大な数の作品、そして作品の間を移動することで起きる里山の風景、自然の美しさとの出合い ― それらを通して集落の人々の生業、中山間地域の厳しい現実を目の当たりにすることになる。

大地の芸術祭ができるまで

越後妻有は、新潟県信濃川流域の南部、十日町市と津南町のエリアを総称する地域である。面積は約760平方キロ、東京23区の約1・2倍ある。そこに5万7931人（2023年1月）が暮らしている。過疎高齢化の進む典型的な中山間地域で、積雪が2メートルを超す世界有数の豪雪地である。降雪量が多いため湿度が高く、盆地で強風がめったに吹かないことが麻織物の原材料・苧麻(ちょま)の育成に適合し、昔から織物業が盛んだった。明治時代以降、高い湿度が「幻の蝉の翅(はね)」とも呼ばれる「十日町明石ちぢみ」の生産に適しているといわれ、高級織物の一大産地となった。また、豊かな水資源を持つ土地柄で、稲作を中心とした農業が主産業になった。「星峠(ほしとうげ)の棚田」を筆頭に、美しい棚田が点在する農村風景が広がっている。

大地の芸術祭は、1994年、当時の平山征夫新潟県知事が提唱した「ニューにいがた里創プラン」に始まる。広域市町村が協働して取り組む個性的な事業に対して県が支援し、広域連携と地域活性化を目指した事業である。10年間で事業費の40％（最大6億円）を県が支援した。当時、6市町村で形成して

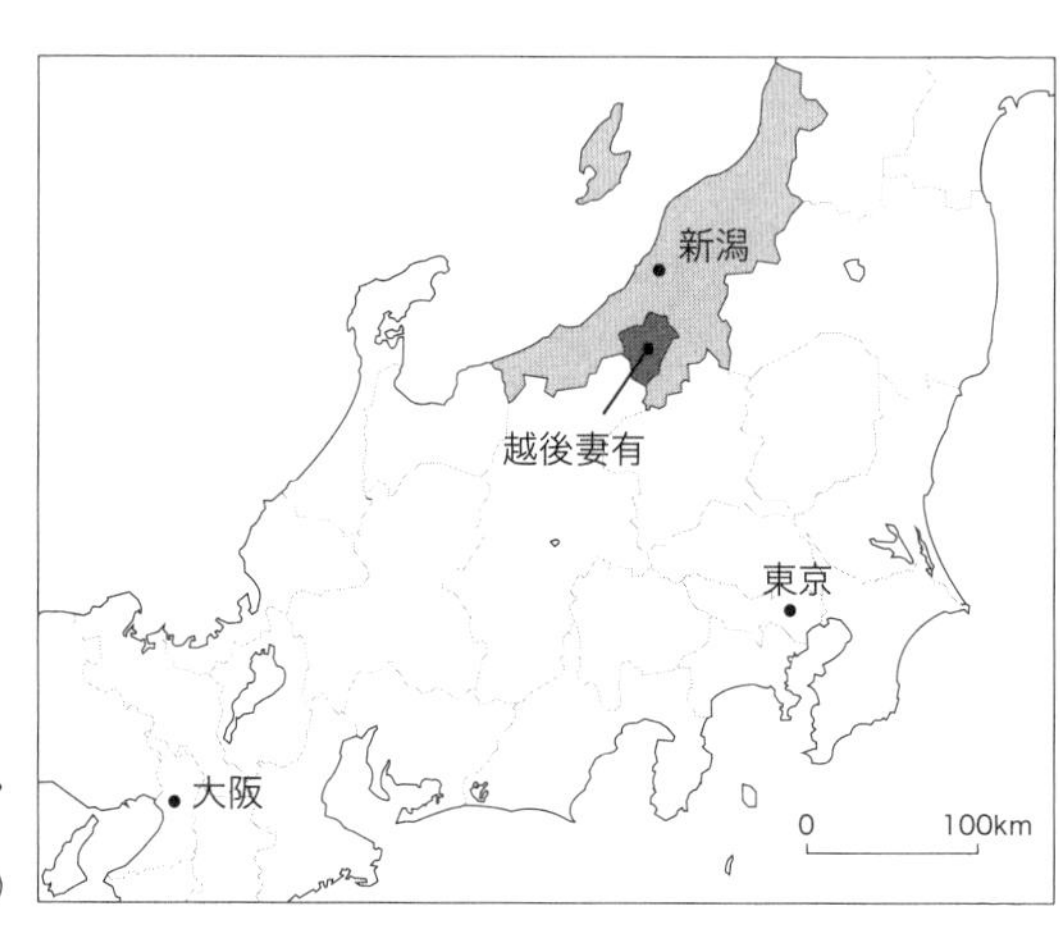

図1・2　大地の芸術祭の会場・越後妻有地域
（出典：大地の芸術祭HPより筆者作成）

いた十日町地域広域市町村圏（現十日町市・津南町＝越後妻有）も事業地域指定を受けた。当初から現代アートを事業のテーマに据えていたわけではない。食や雪、伝統文化を課題に検討していく過程で、これらの資源の付加価値化を図る戦略として「アート」が有効なのではないか、という発想に到達した。そして「越後妻有アートネックレス整備構想」が生まれた。[注12]

アートを通して地域の魅力を引き出す。交流人口の拡大を図る。それを担う10カ年計画「越後妻有アートネックレス整備構想」のアドバイザーとして、新潟県出身のアートディレクター・北川フラム氏に声をかけた。これが出発点となり、2000年に北川氏が総合ディレクターを務める「大地の芸術祭」が始まった。

「大地の芸術祭」は、現代アートを媒介にして各集落やエリアの魅力を引き出し、その魅力を有機的につなげて地域の魅力を広くアピールする、地域活性化を目指すアートフェスティバルである（図1・2）。

1997年度から大地の芸術祭の準備が始まった。当初は「理解できない」「そんなものは必要ない」「地域を破壊する」などの疑問や反対が噴出した。1999年に初回開催を予定していたが、1年延期。住民説明会は、4年半で2千回を超えたという。[注13]

北川氏は、一貫して「葛藤があるからこそ、理解が生まれる。他者の土地に作品をつくるからこそ、公共性が生まれ、協働が始まる。地域のお年寄りの知恵と若者の熱意が呼応して共感が生まれる」と説く。そして「現代美術は社会の矛盾や自然の危うさをあぶり出すが、同時に未来への希望を示すことができる」と住民に語りかけ、しだいに理解を得るようになった。

越後妻有アートネックレス整備事業は、四つの事業で構成されている。

①越後妻有8万人のステキ発見
　地域の魅力を発見するための写真と言葉のコンテスト

②花の道事業
　花を使って広域を繋ぐ交流ネットワークづくり

③ステージ整備事業
　地域の交流拠点の整備

④大地の芸術祭
　アートネックレス整備事業の成果を、アーティストの助力を得ながら3年に一度公開し、広く周知する国際展

大地の芸術祭の準備、住民説明会を実施する一方、1998年には、十日町の越後妻有交流館・キナーレ（現　越後妻有里山現代美術館 MonET）、松代のまつだい雪国農耕文化村センター（まつだい「農舞台」）、松之山の越後松之山「森の学校」キョロロなどの地域交流拠点（ステージ）の建設が始まった。ソフト事業として取り組まれた言葉や写真のコンテスト「越後妻有8万人のステキ発見」では、住民や旅行者から多くの写真と言葉が寄せられ、応募総数は3114点に上った。

通年化、日常化への試み

2000年7月20日、第1回の大地の芸術祭が開幕した。大地の芸術祭の基本理念は「人間は自然に内包される」。越後妻有地域は、豪雪のなかで縄文の昔から米づくりをしてきた土地であり、今も「里山」の暮らしが残っている。「美術を人間が自然と関わる術（すべ）ととらえ」、アートを道しるべに里山を巡る新しい旅の提案は、アートによる地域づくりの先進事例として国内外から注目を集めた。

第1回の開催当初から順調だったわけではない。1999年に予定されていた第1回は、関係6市町村すべての議会が反対し、延期。翌2000年、反対を抑えて開催にこぎつけたが、スタート直後は客足が鈍かった。2000年8月6日、NHK教育テレビの「新日曜美術館」で取り上げられ、他のメディアでも紹介され、ようやく客足が増えた。最後は、畦道に行列ができるほどのにぎわいになった。

大地の芸術祭の事業費の歳入はおよそ、2000年の第1回が4億7千万円、第2回4億7千万円、

イリア&エミリア・カバコフ（旧ソ連（現ウクライナ））「棚田」（Photo：Nakamura Osamu）
棚田の中に農作業をする人々の彫刻が置かれ、手前に稲作の情景について書かれた文章がある。

第3回6億7千万円、第4回5億8千万円、第5回4億9千万円。県の負担は、平山元知事がつくった仕組みに沿って、第1回2億4千万円（事業費全体の51％）、第2回2億2千万円（同50％）、第3回1億6000万円（同16％）だった。2006年の第3回芸術祭の開催をもって「ニューにいがた里創プラン」に基づく県の財政的支援は終了し、2009年第4回以降、県は支出していない。

第4回以降は、地元の基礎自治体や民間の寄付・協賛金、そして事業収入を財源にして運営されている。地元自治体の十日町市と津南町の財政負担は現在3年間で1億2千万円に制限されており、事業支出全体に占める公的負担は20％（2022年）である。芸術祭を継続するためには、入場券（パスポート）や関連商品のマップ、グッズの販売収益を増やさなければならない。国の補助金や各種財団からの助成金、ふるさと納税による寄付、企業や団体の協賛など、あらゆる収入源の確保にも努めている。

芸術祭を通して地域創生の礎を築くためには、通年化の課題がある。大地の芸術祭を支えるボランティア「こへび隊」は、世代、ジャンル、地域を超えた自主的な組織で、越後妻有と首都圏を中心に全国および海外からこれまでに3千人以上が参加している。高校生から80代まで幅広い年齢層が地域づくりの担い手として参画している。芸術祭の準備、運営のみならず、今では田植えや収穫の手伝い、集落の祭への参加など地域との関わりが恒常化し、芸術祭会期以外も越後妻有の活動をサポートしている。

2008年には、NPO法人越後妻有里山協働機構が設立された。「大地の芸術祭」で生まれた作品や施設、プロジェクトを通年事業として運営し、越後妻有を魅力ある地域にしていく任務を負っている。地元出身者と県内外からの移住スタッフで構成されている。3年に一度の芸術祭に加え、合間の2年間の作品メンテナンス、企画展、イベント・ワークショップの開催、アグリツーリズムの実施、グッズや米の販売、食・宿泊施設運営、それらの広報や誘客促進業務をこなしている。

越後妻有地域には、自然を活用した野外彫刻作品や、廃校や空き家、トンネルを丸ごとアートに活用した作品など、地域に根ざした作品が200点前後常設展示されている。芸術祭会期中には、そこに新作が加わる。

食の産業化にも力を入れている。米の産直や通販を展開。地産地消の食のステージとして、越後まつだい里山食堂、上郷クローブ座レストラン、うぶすなの家などの食堂を運営している。宿泊施設には、夢の家、脱皮する家、三省ハウス、かたくりの宿などがある。こうした施設が地元雇用を生み、大地の芸術祭期間中には28人、通年でおよそ100人が地元で働いている。

第1回からこへび隊と地域企業、それに参加アーティストの手でグッズや食品が共同開発・販売されてきた。第4回からは「Rooots越後妻有の名産リデザインプロジェクト」がスタートした。名産品のパッケージデザインをWEB公募で集め、クリエーターと地域メーカーを結びつけることで、芸術祭を核とした持続可能な産業振興の可能性を探るプロジェクトである。グッズの売り上げは、第4回の会期中8千万円、第5回には同1億1千万円に達した。

2008年からは、「越後妻有雪アート・プロジェクト」が動き始めた。越後妻有は、半年雪の中にある。雪を味方にしないと何もできない。1月には、各集落の伝統が詰まった小正月を体験できるツアーなど、集落行事に参加するプログラムが企画される。

2015年には、農業実業団のサッカーチーム「FC越後妻有」が発足した。越後妻有に移住した女子サッカー選手が、棚田の担い手として就農したり、大地の芸術祭を運営しながら活動する。プロとしてサッカーをしながら、里山で暮らすライフスタイルの提案である。過疎高齢化で担い手不足の棚田を、「まつだい棚田バンク」を通して維持する先駆け的なプロジェクトになっている。[注14]

このように地域に内在するさまざまな価値を掘り起こし、その魅力を高め、世界に発信し、地域再生の道筋を築く。そのため3年に一度の芸術祭期間中だけではなく、通年の取り組みに力を入れている。そこが注目される。

大地の芸術祭の経済効果とソーシャルキャピタル

地域型芸術祭である大地の芸術祭の効果については、さまざまな検証が行われている。経済効果の測定方法としてよく使用されるのは、産業連関分析である。産業連関分析は、産業連関表をもとに当該地域の産業構造および経済波及効果を計測する政策評価アプローチである。産業連関表とは、通常1年間に一定地域で行われた財・サービスの取引情報を示すものであり、域内における経済・産業構造を表す基礎統計資料である。このアプローチを実施することで、イベントが各産業の需要に与える効果を波及効果として計測する。

大地の芸術祭の、来場者数と経済波及効果は、表1・4のとおりである。最初の経済波及効果は北越銀行経済研究所による推計である。第2回、第3回は新潟県統計課の報告、4回目以降は、大地の芸術祭総括報告書等による。消費支出の推計方法が異なる可能性があり、単純に比較はできない。1回目、2回目は建設投資額が多く、初期投資が一段落した3回目以降は消費支出が中心となっている。

文化施設や文化事業などの価値は、公共財的性格を持つ。したがって来場者数や経済波及効果のような定量的価値のみならず、市場で計測できない価値を生む。

鷲見英司（2014）は、2006年、2012年の2回、大地の芸術祭とソーシャルキャピタルに関するアンケート調査を実施し、地域住民と大地の芸術祭の関わり、およびそれによるソーシャルキャピタルの増大を確認した。[注15]

	2000（第1回）	2003（第2回）	2006（第3回）	2009（第4回）
来場者数（万人）	16.3	20.5	34.9	37.5
経済波及効果（億円）	127.6	140.4	56.8	35.6
	2012（第5回）	2015（第6回）	2018（第7回）	2022（第8回）
来場者数（万人）	48.9	51.1	54.8	57.4
経済波及効果（億円）	46.5	50.9	65.3	82.6

※第1回、第2回は、多額の施設建設、道路整備等の建設投資が行われている。第1回の経済波及効果は北越銀行経済研究所による推計、第2回、3回は新潟県庁統計課による報告、第4回～7回は統括報告書、第8回は『越後妻有大地の芸術祭2022』より

表1･4　大地の芸術祭の来場者数と経済波及効果の推移（出典：各回総括報告書等より筆者作成）

ソーシャルキャピタルは、人々の協調行動を活発にすることによって社会の効率性を高めることのできる、「信頼」「規範」「ネットワーク」といった社会組織の特徴である[注16]。

調査結果によると、イベントへの参加やアーティストとの協働をとおして大地の芸術祭の運営に協力した住民ほど、人々との付き合い・交流が「増えた」と回答した割合が多い。集会所の清掃や寺社の管理、行事の運営など「地域共同活動」への参加も、「増えた」と答えている。さらに大地の芸術祭の運営に協力した住民は、その多くが「芸術祭を通じて地域内で信頼できる人々が増えた」と回答している。

大地の芸術祭の地域活性化効果については、ソーシャルキャピタルの蓄積という観点から以下の評価がなされている。

①　大地の芸術祭の運営に協力した住民ほど、世代を超えて人的交流を促進している。また、地域の枠組みも超えて交流に興味を持つようになった。

②　60歳代の住民が活動の中心になっているが、高齢化が著しい中山間地域では、高齢者の活躍が促進された。

③　大地の芸術祭の最も大きな貢献は、橋渡型ソーシャルキャピタル[注17]（開

放的で異質な水平的な結束を強くするソーシャルキャピタル）の蓄積につながる変化を地域住民にもたらしたことである。大地の芸術祭が、中山間地域が抱える課題の解決に必要不可欠な橋渡型ソーシャルキャピタルを構築することに貢献した意義は大きい。

④ ２００６年と２０１２年の芸術祭を比較した結果、集落や地域住民の結束型ソーシャルキャピタル（閉鎖的で、同質的な内部の結束を強くするソーシャルキャピタル）が劣化していないことがわかった。大地の芸術祭がなければ、共同活動は停滞し、集落環境が悪化し、地域の課題はもっと深刻化していた可能性がある。

一方、アート作品が設置されていない集落、運営に参加する機会のない住民など大地の芸術祭との関わりを持たないところでは、改善に向かう変化を享受する機会に恵まれていない。したがって、その間で大地の芸術祭に対する評価、芸術祭の継続について賛否が割れる傾向にある。いかに多くの住民を巻き込むかが、芸術祭が地域活性化に貢献できるかを決めることにつながる。

地域活性化を目指して開催する芸術祭の場合、その効果を測るのに、来場者数、ボランティア参加者数、経済波及効果、および芸術祭の規模を測る出展作家の数、作品数、参加国数、移住者数など定量的に表される効果以外に、地域がどのように変わってきたのか、地域に住む人々に何をもたらしたのか ― を検証することが肝要である。ソーシャルキャピタルの蓄積という観点は、その一つの方法である。地域に住む人々に何をもたらしたのか、地域は元気になったのか、芸術祭を契機に芸術祭以外の活動を掘り起こしているのか、といった視点で、地域にとっての芸術祭の意義を測ることは重要である。

芸術祭が新たな地域活性化策として広がる

2000年に開催された第1回の大地の芸術祭は、13万2400人の作品鑑賞者と3万400人のイベント参加者、計16万2800人の来場者を得た。それまで国内で行われた野外美術展のなかでも最多の部類に入る来場者数になった。

第1回大地の芸術祭総括報告書は、計画段階において見込んだ開催効果に対する実施成果、開幕後の効果・波及調査、6市町村で取り組まれた反省会や住民アンケート調査をもとに、以下の12点の総括をしている。

①交流人口の増加
②住民参加と人的交流の活発化
③商業・観光業の活性化
④越後妻有の知名度アップ
⑤インフラの整備・公共事業の導入
⑥既存施設の有効活用
⑦文化人・著名人との交流の広がり、国際化
⑧全国企業とのつながり
⑨環日本海圏の中心イベントとしての位置づけ、評価

⑩　環境問題とアートに関するソフトの蓄積
⑪　子どもたちへの教育効果
⑫　地域への誇りの醸成

総括報告書では、作品制作やイベントと関わりがなかった地域では事業への関心が低かったこと、芸術祭と接点のなかった温泉施設や歴史資料館などの観光資源を、今後どのようにモデルコースに組み込むか、などの課題が指摘された。しかし、狙いとしていた主要な開催目的は達成された、という評価だった。

報告書は、「市町村が広域で手を結び、アートを切り口としたまったく新しい地域活性化事業を推し進めつつあることは、今回の芸術祭を通して広く伝わり、地域ファン、リピーターも多くできた。地域として広域連携によりこの事業に積極的に取り組んでいくことも重要と考えられる。ここで培われた多くの交流ネットワークや、21世紀に向け、時代を先取りして実施した事業であるという優位性、また運営のノウハウを大切にしながら、提起された多くの課題の改善に取り組み、とくに地域発信のための適正な事業規模、効果的な作品配置の在り方についてはさらに協議を重ね、住民理解を得るべく努力し、多くの住民が参加できる形態によって、第2回大地の芸術祭を平成15年に開催することとしたい」という言葉で結ばれている。

大地の芸術祭は、広域で展開することで地域住民の広範な参加につながる。また、来訪者の回遊性を高め、必然的に地域の自然や暮らしと出合う機会になる。世界的なアーティストの出展も多く、現地に

	初回開催年	来場者数（人）	総事業費（収入）	経済波及効果
大地の芸術祭 （新潟県十日町市・津南町）	2000年	54万8千人[*1] （2018）	4億3千万円[*1]	65億3千万円*
BIWAKOビエンナーレ （滋賀県近江八幡市・彦根市）	2001年	5万6千人[*2] （2020）	7千万円[*2]	-
中之条ビエンナーレ （群馬県中之条町）	2007年	47万人[*3] （2018）	3千万円[*3]	6億円*
瀬戸内国際芸術祭 （香川県・岡山県玉野市等）	2010年	72万3千人[*5] （2022）	12億8千万円[*6]	103億円*
いちはらアート×ミックス （千葉県市原市）	2014年	11万人[*7] （2020+）	6億円[*8]	11億3千万円*
みちのおくの芸術祭 山形ビエンナーレ （山形県山形市）	2014年	6万人[*9] （2016）	3千万円[*9]	-
北アルプス国際芸術祭 （長野県大町市）	2017年	3万4千人[*10] （2020+）	3億2千万円[*11]	4億円*
奥能登国際芸術祭 （石川県珠洲市）	2017年	4万9千人[*12] （2020+）	5億円[*13]	4億3千万円*
リボーンアートフェスティバル （宮城県石巻市・牡鹿半島）	2017年	26万人[*14] （2019）	-	21億8千万円*

表1・5　主な地域型芸術祭

（出典：＊に示した各芸術祭HP掲載情報・主催団体提供資料・文化庁調査報告書などに基づいて筆者作成。
＊1：2018　総括報告書、＊2：2020　事業報告書、＊3：2015年度・文化庁資料、＊4：2015年推定・群馬経済研究所
＊5：2022　統括報告、＊6：2022見込み〔3カ年〕・統括報告、＊7：2020＋・事業報告書、＊8：2021年度見込み
カ年〕・事業報告書、＊9：2017年度・文化庁資料、＊10：2020－2021・開催報告書、＊11：2018～2021年度
カ年〕・開催報告書、＊12：2020＋・総括報告書、＊13：2018－2021年度〔4カ年〕・総括報告書、＊14：2018年
日本政策投資銀行東北支店資料）

出かけてその場所にしかない作品を鑑賞したい、というニーズを生み出す。

報告書に「地域ファン、リピーターも多くできた」とあるように、首都圏をはじめ、全国各地、海外から多くの若い世代が訪れた。里山の風情や越後妻有の豊かな風土に対する共感、および交流をとおして経験した地域住民の温かい人情、それらに対する賞賛が多数寄せられた。

それまで中山間地域で現代アートを主体としたこの規模の芸術祭の例はなく、中山間地域の新たな地域活性化策として注目を集めた。以後、全国のさまざまな地域で地域活性化を目的とした芸術祭が開催されるようになる（表1・5）。

この人に聞く

北川フラム氏（瀬戸内国際芸術祭総合ディレクター、株式会社アートフロントギャラリー代表取締役会長）

芸術祭は21世紀の社会運動である——美術が地域を耕す

瀬戸内国際芸術祭が目指すのは「海の復権」です。日本の国土面積は狭く、世界で61番目ですが、外周距離、つまり海岸線の長さは世界第6位です。その海の大切さをわれわれは忘れてしまった。瀬戸内海は、日本全体のいわば「お母さんの子袋」です。静かで、豊かな海です。歴史的に多くの人々や文物、情報が瀬戸内海を行き交い、それをうまく使った人たちが、界隈に日本の中心を築いてきました。

しかし、近代になって海や島の大切さは忘れられ、島は外界から隔離された場として使われるようになってしまった。犬島や直島の製錬所、豊島の産業廃棄物不法処理、大島のハンセン病療養所などです。

芸術祭は、アートをきっかけに地域の特色が表れ、作品づくりをいろいろな人たちが手伝うなかで地域への誇りを持つことができること、そして地域の人が元気になることを目指しています。瀬戸内海で芸術祭を開催すれば、その歴史や背景、日本が近代化のなかで失ってきたものなど、祭の射程はすごく広くなります。女木島では、小さな工場を映画館につくり直し、「裸の島」を上映しました。大島では、国立療養所に入所されていた人々が自分たちの生きた足跡を残したいという思いで芸術祭に参加しています。大島の活動は、国の政策に大きな影響を与えたと思います。声高に何かを主張するわけではないのですが、２０１９年には、「ハンセン病元患者家族に対する補償金の支給等に関する法律」ができました。一つ一つの活動が、非常に大きな意味を持ち、発信力を持ってきていると感じています。

瀬戸内国際芸術祭は、海外からの来場者が増えました。芸術祭を支えるボランティアサポーターの「こえび隊」にも、世界中から隊員が集まるようになりました。２０２２年第５回芸術祭はコロナ禍にあり、外国の人は参加できなかったのですが、２０１９年第４回の芸術祭では、こえび隊の18％が外国人でした。台湾、香港、中国などアジアから参加した隊員は、自分の国・地域でも、地域に根ざした芸術祭をやりたいと思って参加している人が多くいます。それぞれの土地の歴史が培う「場所」をアートをとおして再発見し、そこで生活をしてきた人たちを称えたい、そこで生きていることに誇りを持ち、誇りを基盤にもう一度地域の展望をつくりたい、と願っています。瀬戸内国際芸術祭には、そのような普遍的な構えがあるのです。それがまるで燎原の火のように広がり始めています。

アート作品そのものに強い力があるのですが、作品をつくる過程、あるいは運営やメンテナンスを含めて、作品の周りで起きているさまざまな活動にも大きな意味があります。21世紀の美術の一つの可能性を示していると思います。

世界銀行は、地域型芸術祭の方法論を開発途上国に適用し、地域経済の活性化を図ろうとしています。そのパイロットプロジェクトをスリランカで実施するためのリサーチをスタートしました。経済力がない地域にも、コミュニティはあります。国際的なアーティストを連れてくる、そして彼らを、あるいは彼らの作品を触媒としてコミュニティの創造性を活用しながら地域を活性化させるのです。芸術祭の周辺には、レストランや工芸品など、さまざまな2次的産業が生まれます。コミュニティのポテンシャルや創造性を引き出し、グローバルなアーティストの参加がそれを加速させる、という方法論が注目されるようになりました。

そもそも美術は、ラスコー洞窟やアルタミラ洞窟の壁画にみるように、先史時代以来、人間にとって重要なものです。とくに過疎化や疲弊など課題がある地域こそ、アートの出番です。アートは、本来、美術館の中に鎮座するものではない。課題を抱えたところに入っていくものだと思っています。それゆえ、瀬戸内国際芸術祭は、中国や台湾などアジアをはじめ各地に影響を与え始めました。疲弊する地方や格差社会では、こうした芸術祭が必要なのです。

私は地域で芸術祭を開催するときは、必ず行政とタッグを組みます。民間企業が多額の費用を出してくれる場合も、行政と協働します。美術を理解せず、美術を公共事業にするのはとんでもないと考えている人たちと一緒にやらなければダメなのです。行政と組めば、税負担者である住民が必ず意見を言います。反対意見も多いです。しかし、違う考えの人と同じ土俵に乗ることをしない限り、どちらが正義だという戦いをするだけでは意味がない。企業スポンサーが提供する資金だけで楽に開催しても、本当の意味で地域を耕すことにはならないのです。

美術のような、面倒な、手のかかる赤ちゃんのような存在は、むしろ逆に周囲の人間を動かします。それが美術の持つ大きな魅力です。だれもが手伝いに参加し、守り、何かケアしなければいけないと思う。儚い、味方のいない、やっかいな赤ちゃんのようなものなのです。

芸術祭が地域の持続性を担保するためには、芸術祭で生活できる人が増える、その雇用を生み出していくことが大切です。経済活動は重要です。トリエンナーレは3年に1回。そして3年のうち、芸術祭を開催している期間が100日です。人々が残り千日をどのように暮らしていけるか、それが課題です。

人は生き続ければ、工夫が出ます。それがおもしろい。瀬戸内でも、男木島は変わってきたし、女木島も変わる。小豆島も変わりました。少子高齢化、人口減少は不可避ですが、おもしろいことをやらなければダメです。

幸い越後妻有でも、瀬戸内でも、食に関わる人が増えています。旅行産業とまでにはなっていませんが、観光関連に携わっている人も増えています。その分野の仕事で生活できる人が増えることが大切です。地域の現実や思いを理解したうえで、どうしたらいいかを考える。集落の人と話をすれば、向こうも話に乗ってくれます。北川は芸術祭原理主義者ではない、と思ってくれます。

芸術祭に出展するアートの質は決定的に大事です。だれが作品をつくってもいいということにはならない。最初の3回は、絶対にアートの質を担保しなければダメだ、と言い続けています。香川県議会では、県の予算を使っている以上、県内のアーティストをもっと参加させるべきだ、という議論がありました。しかし、平凡なアートでは、だれも遠方から見に来ない。そこは徹底的に質にこだわることが大切です。そして具体的な成果を出して説得していくしかない。

第5回瀬戸内国際芸術祭の開催決定は、新型コロナウィルス感染症の影響下にあってたいへんでした。医療設備が十分でない島の人々は、都会から多くの来訪者があるのを心配しました。作家も来日できない。それでも島の人々がやりたいと考えていれば、工夫を凝らして開催しようと思いました。海外作家には、オンラインで作品設置の候補場所の写真や動画を送って相談し、オンラインで指示を受け、設置する場所を決めました。

芸術祭を開催すると、毎日、何か問題が起きます。たいへんなことではありますが、やっていけばおもしろいこともある。人生と同じです。

（2022年1月27日　東京都内にて　筆者インタビュー）

2章

瀬戸内国際芸術祭の展開

―「近代の汚点」を超克し、21世紀を見据える―

1 日本の玄関「瀬戸内海」――地政上の優位性、多様で豊かな歴史

瀬戸内海の誕生と活用

瀬戸内海は、世界有数の閉鎖性海域である。本州・四国、および九州に囲まれて700を超える島々（外周が100メートル以上のものは727島）と7230キロに及ぶ長い海岸線を有している。瀬戸内海環境保全特別措置法第2条第1項が規定する海域は、東西450キロ、南北15～55キロ、面積は2万3203平方キロである。東は紀伊水道、西は豊後水道、および関門海峡によって太平洋、日本海に開いている[注1]（図2・1）。

2万年前の氷河期には、海面が現在より130メートルほど低く、瀬戸内海は陸地だった。備讃瀬戸あたりを境に大きな川が東と西に流れ、紀伊水道と豊後水道を抜けて太平洋に注いでいたといわれる。その後しだいに気候が温暖となり、氷河が溶けて海水面が上がり、1万年前にほぼ今の瀬戸内海が出来あがった[注2]。

瀬戸内海の海運航路は、古代にさかのぼる。大陸渡来の鉄やガラスを日本各地に運搬したり、日本各

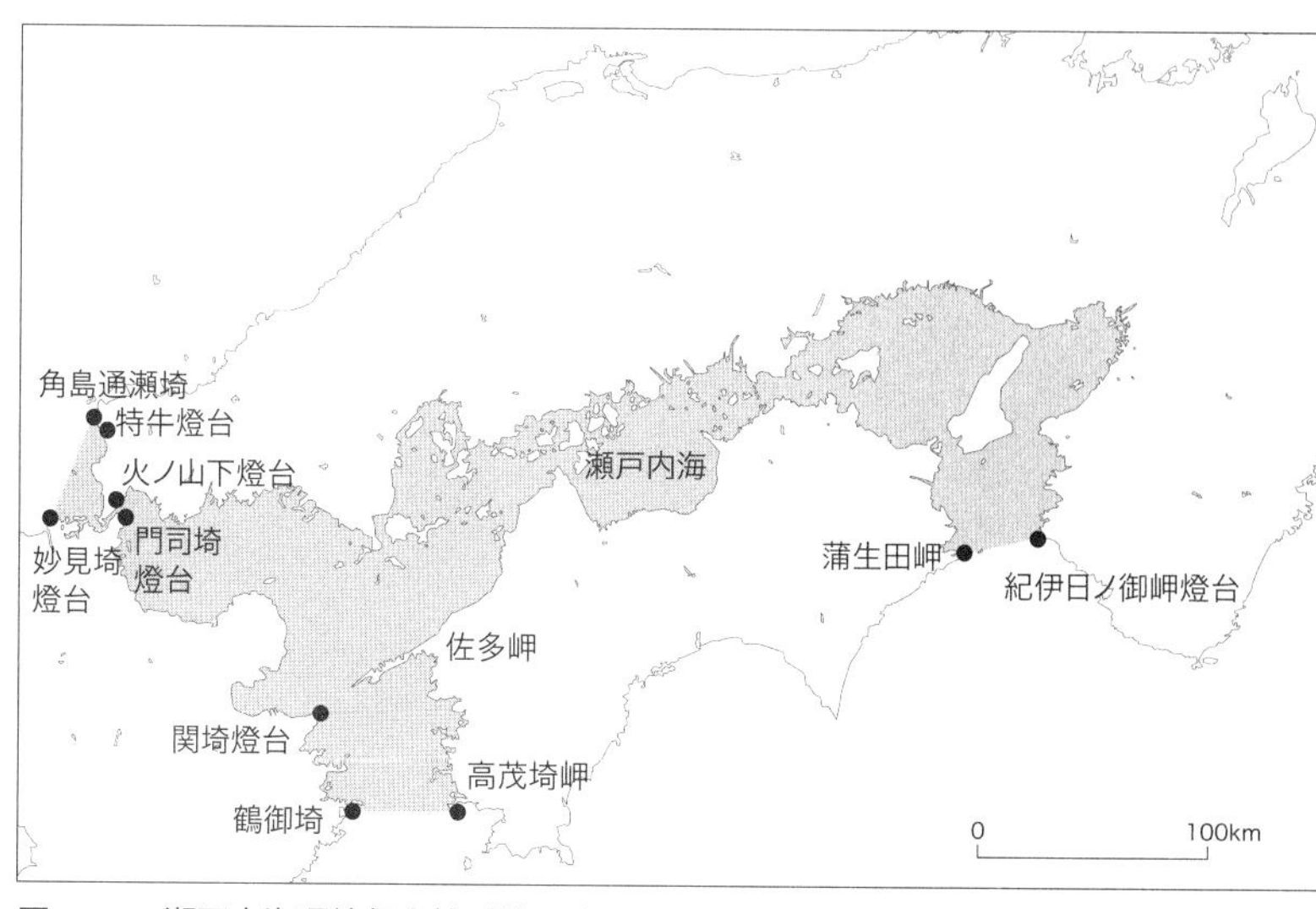

図2・1　瀬戸内海環境保全特別措置法に規定する海域
（出典：環境省 https://www.env.go.jp/water/heisa/heisa_net/location/setonaikai.html）

地で採れる石材を各地の豪族の墓に使うために運搬する海路になった。遣唐使の海路としても役割を果たした。『万葉集』にも詠まれている。室町時代には、瀬戸内海沿岸地域に港町が誕生した。戦国時代には、「村上水軍」が歴史的な戦いで活躍するなど運搬以外でも航路が活用された。

江戸時代に入ると、河村瑞賢によって「東廻り航路」に続き、瀬戸内海を経由する「西廻り航路」がひらかれた。「西廻り航路」は「東廻り航路」よりも距離は伸びるが、安全性が高く、瀬戸内海沿岸地域の発展に大きく貢献した。庶民の間でも観光文化が浸透して「御蔭参り（おかげまいり）」などが流行し、人の活発な往来を助ける重要な航路となった。さらにオランダ使節や朝鮮使節、琉球使節などを迎え入れて交易が行われた。

欧米人が称賛した多島海景

瀬戸内海の名称は、明治に入ってから使われるようになった。『瀬戸内海事典』によると、瀬戸とは迫門、狭門、湍門で、海峡を意味し、瀬戸内海は海峡の内側の海を指している。「瀬戸内海」は、欧米人が呼ぶ「The Inland Sea」の翻訳として明治初年ごろから用いられ始めたといわれる。[注3]

開国以後、わが国を訪れた欧米人は瀬戸内海の風景を絶賛した。

1823年にオランダ領東インド会社付きの医官として来日したドイツ人の医師・生物学者であるフィリップ・フランツ・フォン・シーボルトは、1826年にオランダ商館長の江戸参府に随行し、瀬戸内海を往復した。この時の紀行文を、大著『日本』のなかに記している。

「船が向きをかえるたびに魅するように美しい島々の眺めがあらわれ、島や岩島の間に見え隠れする日本（本州）と四国の海岸の景色は驚くばかりで — ある時は緑の畑と黄金色の花咲くアブラナ畑の低い丘に農家や漁村が活気を与え、ある時は切り立った岸壁に滝がかかり、また常緑の森のかなたに大名の城の天守閣がそびえ、その地方の飾る無数の神社仏閣が見える。はるかかなたには南と北に山が天界との境を描いている。隆起した円い頂の峯、それをしのぐ円錐の山、ぎざぎざの裂けたような山頂が見え — 峯や谷は雪におおわれている[注4]」。

1868年8月に瀬戸内海を航行したドイツの地理学者フェルディナンド・フォン・リヒトホーフェンは、「広い区域に亙る優美な景色で、これ以上のものは世界のどこにもないであろう。将来この地方

数多くの欧米人から高く評価された瀬戸内海の多島美（筆者撮影）

は、世界で最も魅力ある場所の一つとして高い評価をかち得、たくさんの人々を惹き寄せることであろう。ここには到るところに生命と活動があり、幸福と繁栄の象徴がある。他の多くの国民ならば全然植民の余地を見出さないであろうようなこの地域に、すでに天国が出来あがっているのだ！かくも長い間保たれて来たこの状態が今後も長く続かんことを私は祈る」と旅行記に記し、美しい瀬戸内海が長く続くことを祈っている。[注5]

近代ツーリズムの祖と呼ばれるイギリスのトーマス・クックは、1872年から222日間の世界一周旅行をした際に日本に立ち寄り、「私はイングランド、スコットランド、アイルランド、スイス、イタリアの湖という湖のほとんどすべてを訪ねているが、瀬戸内海はそれらのどれよりも素晴らしく、それら全部の最もよいところだけをとって集めて一つにしたほど美しい」[注6]と瀬戸内海を絶賛している。

幕末から明治にかけて欧米人が賞賛した瀬戸内海の多島海景は、船の移動する視点から眺める「シークエンス景（動的景）」であった。彼らは瀬戸内海を汽船で通過し、次から次へと前から後ろに流れ変化する島々の風景を賞賛した。

日本で瀬戸内海の多島海景の称賛の記述が紀行文に表れるのは14世紀である。江戸時代後期（18世紀後半）以降は、海岸などから眺める「シーン景」、高所から遠望する「パノラマ景」、船から見る「シークエンス景」と、さまざまな視点でとらえた描写がある。西欧の近代的風景観を移入した明治後期の日本人も、瀬戸内海の多島海景について、当初「シークエンス景」を重視していた。昭和初年、瀬戸内海国立公園の選定に携わった脇水鐵五郎・田村剛が、鷲羽山（わしゅうざん）から見る備讃瀬戸の多島海景を絶賛し、「パノラマ景」を評価した。その後、瀬戸内海国立公園として島々が分散して見える多島海景の称賛が普及した[注7]。

環境保全と文化財保護を説いた小西和

瀬戸内海の魅力を日本で最初に、総合的に評価したのは、『瀬戸内海論』の著者、小西和（かなう）（1873年～1947年）である。初版は1911年12月8日。A4版より少し大きめで、ハードカバー、1006ページの大冊である。掲載された写真、図版は300枚。新渡戸稲造、男爵の肝付兼行、公爵の西郷従徳が序文を寄せている。本書には賜天覧台覧という記載があり、皇室に献上されたのである。

小西和は1873年、香川県寒川郡名村（現長尾町）生まれ。愛媛県中学校から札幌農学校に進み、1892年卒業。北海道に残り、石狩国清真村に小西農場を開拓した。1902年、東京朝日新聞に入社、日露戦争に従軍し、満州、樺太、沿海州を回った。1912年、香川1区から衆議院議員に立候補し、以来8回当選した。帝国議会で国立公園法や国宝保存法の制定を主張し、法案の成立に尽くした。その努力により、瀬戸内海が雲仙、霧島とともに国立公園第1号として指定され、小西は「瀬戸内海国立公園の父」と呼ばれている。農政家としても活躍し、著書に『日本の高山植物』などがある。

明治の難解な文体を阿津秋良氏が口語訳し、『口訳 瀬戸内海論』[注8]が1997年に刊行された。新渡戸稲造は序文で、「瀬戸内海は山容水態両方ともに秀麗明媚にしてどこから見てもほとんど一点の非難すら挟むことができない。真に天下の絶勝というべきである。人々は『日本の宝石』といっているが私は実に『世界の宝石』と断言する」と瀬戸内海を絶賛している。

『瀬戸内海論』は110余年前に書かれたが、瀬戸内海について極めて幅広く論じている。目次を辿れば、瀬戸内海の構造、地貌と地質と土性、沿岸の山河と湖沼、瀬戸内海の海岸線、瀬戸内海の港湾、花彩島中の花彩島、内海の広狭と深浅、瀬戸内海の潮水、瀬戸内海の気象、海陸の生物と産業、内海の海運と海軍、瀬戸内海と人生、内海関係の学術、瀬戸内海の将来展望 ― とある。本人が「執筆の方針」で記しているとおり、「瀬戸内海の百科全書」のごとく豊富な内容である。

瀬戸内海の自然、景観の大切さとともに、古墳や遺跡、神社・仏閣、民俗学にも言及し、その保存と研究の重要性を説いている。20世紀初頭に、今日問題になっている海の環境保全、陸の環境保全、そして文化財の保護を主張していた先見性に驚かされる。

瀬戸内海を単に地方的な内海とせず、日本の誇るべき世界の財産として活用すべきである、と論じている。九州と本州の架橋（関門海峡）や、海底トンネルにも言及し、海外貿易を見据えた港湾整備の必要性を説く。外国人観光客の招致やホテル建設の意義など観光対策についても意見を述べている。

「わが国が外国人によって財政を維持するがごとき方策をとる必要もないが、少なくとも一部の人の資源に当ててであるいは民間の経営上、相当の役に立つことは結構なことである。外国人の来日は無形の効果を与える。国際親善が国民間の友好に基づくことは大きく、来日する外国人が中級ないし上級の者である以上、その来日は誠によいことである。モラルや礼儀ということについても彼らに学ぶことが少なくないのである」

外国人客の招致のためには、和式の宿屋だけでなく、「島嶼または海岸の高地を選び、内海の山水に対して調和の取れた建造物を建てて内部のインテリアや設備には日本の美術工芸を都合よく応用して、遊覧船を浮かべてホテル業を経営すべきである」と提案している。機敏で抜け目のない外国人が「内海方面に適当な個所に土地を得てホテル業を経営するかもしれない。せっかく多くの外国人が来ても肝心の日本人はその利益を逸する」と述べ、外資系ホテルの進出に警鐘を鳴らしているのには驚かされる。

「博覧会のようなものは外国人客の招致の手段になるが単に一時的なイベントのためにはるばる来訪するものは意外に少ない。やはり名所などの観光が主な目的でただ博覧会を好機として出かけるにすぎないだろう」と論述している。一時的なイベントでの誘客を戒め、瀬戸内海の真の魅力と美しさをもって「快感と満足を与えることが必要」と主張する。

2 第二次世界大戦を境に海が荒れ始める

1960年代から始まった人口減少

瀬戸内海は、人や物資を運ぶ「航路」としての役割のみならず、その地理的条件からさまざまな産業が栄えた。水深が浅く、干潟や藻場が点在しているため、昔から多くの魚介類の生育場として漁業が活発だった。

豊富な海水、少雨温暖な気候などから製塩業が栄えた。海水から塩をつくることは、すでに弥生時代から始まり、その方法は発展を続けながら明治時代まで塩田開発が進んだ。

江戸時代には、高松藩が甘藷の栽培や製糖の技術を入手し、三盆白(さんぼんじろ)(白砂糖)の生産販売が行われるようになった。綿は米よりも塩害に強く、干拓地に適していたため、岡山、広島、香川が綿の生産地となり、紡糸や織布の生産が盛んになった。紡糸と関連して藍の栽培も広がった。さらに明治時代には、除虫菊の作付けが始まった。

しかし、これらの産業は、明治以降、海外との貿易や生産方法の変化によって急速に衰微していった。明治・大正期には、大阪・神戸を中心に沿岸に工場ができ始め、出稼ぎに出る人が増えた。それでも、海のほとりに暮らす人々は、海を大事にしてきた。

第二次世界大戦を境に状況が大きく変わった。砲弾や爆弾が海に捨てられ、沿岸には石油、パルプ、製鉄、造船、繊維関係の大きな工場が建ち並ぶようになった。島の生活も、海の様子も一変した。

民俗学者の宮本常一は、「何がいちばんかわってきたのでしょうか。それはもともとこの沿岸に住んでいなかった人たちが、この沿岸にやってきて、思い思いの工場をたてはじめてきたことです。(中略)今まできれいだった海はいつの間にか汚れ、魚介もずっと減ってきて島人の生活も大きく変わりはじめました。そして出稼ぎではなくて、島を出て移住する人がしだいに多くなってきたのです。今この海のほとりに昔から住んでいる人たちは、どのようにしたらもう一度住み心地のよい土地にかえすことができるだろうかと真剣に考え始めています」と書いている。[注9]

何千年と住み続け、失敗を繰り返しながらも、ひたすら努力してきた生活が無雑作につぶされた。島の生活は陸と海の双方に支えられていたが(半農半漁)、開発の影響で海の幸が乏しくなり、生活が立ちゆかなくなった。人々は他の地に移り住み、1960年代から瀬戸内の島々では、急激な人口減少が始まった。

人口減少、高齢化が進むとコミュニティは衰退する。人が住まなくなった家は朽ち、生徒がいなくなった学校は閉校になる。そうした困難に直面し、瀬戸内国際芸術祭の発起があった。

3 近代化の負の遺産に向き合う ——煙害の島／産廃の島／ハンセン病の島と芸術祭

煙害の島・直島から世界の直島へ

昔から瀬戸内海は、水運を主とした文化・経済の大動脈だった。「瀬戸内海権の与奪は、常に関西の覇業と一致する」[注10]とまでいわれ、政治的にも重要だった。江戸時代には、西廻り航路の発達と内海諸藩の国産奨励の結果、綿業、塩業、漆器、造船など各種の伝統工業が興り、さらなる発展を遂げた。[注11]

明治新政府は、近代国家成立に向け富国強兵と殖産興業を進め、人々の生活が大きく変わった。第二次世界大戦後は、急速な工業化・都市化の影響を受けて、環境破壊や社会問題が深刻になった。

備讃瀬戸の島々も、近代化の過程で傷ついてきた歴史を持つ。人口3千人ほどの小さな島に国内外から年間75万人[注12]もの来訪者がある現代アートの聖地・直島も、銅の製錬所から出る亜硫酸ガスの影響で枯れ木が目立つ島だった。直島町は、直島を主島とする大小27の島々で構成されている。島民の暮らしのある有人島は、直島と向島、屏風島の3島である。直島の面積は14・22平方キロ、人口は3069人[注13]。降水量が少なく、寒暖の差が小さく、日照時間が長い。直島(なおしま)の地名は、保元の乱で敗れた崇徳上皇が讃岐へ配流される際に直島に立ち寄り、素直な島民の心に感動して付けた、と伝えられている。地理的には香川県よりも岡山県に近い。岡山県玉野市の宇野港からフェリーで直島宮浦港まで20分、香川県高松市高松港からは50~60分である。島から岡山県内に通勤や通学をしている人が多くいる。1969年以降、生活用水は海底導入管を使い岡山県から直島に送られている。

島は、江戸時代には幕府の天領として海上交通の要衝、海運業や製塩業で栄えた。明治時代には、農業・漁業が不振になり、島の財政は破綻しかけた。1917年に三菱鉱業（現在の三菱マテリアル）の製錬所を誘致し、全国各地から労働移民を受け入れ、鉱業の島として繁栄した。しかし、製錬所は煙の無害化技術が進歩するまでは、有毒ガスが深刻な煙害を惹起した。その影響で北部の木々は枯れ、「製鉄所のある禿げ山の島」と呼ばれた。1960年代以降、銅市場の変化や技術革新による合理化が進み、製錬所の労働者が減少し、島の人口が減り始めた。

1959年に町長に初当選した三宅親連氏は、1995年まで9期36年間町長を務めた。三宅町長が初めて編成した「1960年度当初予算大綱説明」で、島のグランドデザインを打ち出し、それが今も

左右対称の和風の屋根が印象的な直島町役場（設計：株式会社石井和紘設計室）

生きている。「直島の北部は既存の直島製錬所を核として関連産業のよりいっそうの振興をはかり、町経済の基盤とする。中央部は教育と文化の香り高い住民生活の場。南部は瀬戸内海国立公園エリアを中心に自然景観と歴史的な文化遺産を保存しながら、観光事業に活用することで町の産業の柱にしたい」と述べている。[注14] 直島を三つのエリアに分け、それぞれ特色ある活用を目指す計画である。

宮浦港から町営バスに乗ると、バス通り沿いに建つ立派な建物が目を惹く。「直島小学校」である。「家プロジェクト」を訪ねる途中、本村地区を歩くと、斬新な町役場の建築に驚かされる。左右対称の屋根造りの和風建築である。いずれも、ポストモダンの旗手と言われた建築家・石井和紘の設計である。直島小学校（1970年）、直島幼稚園（1974年、共同設計者：

難波和彦）、直島町民体育館・武道館（1976年）、直島中学校（1979年）、町役場（1984年）は、石井の連作である。

直島町役場のホームページによると、三宅町政の「自立する町づくり」を目指す志の発端として、1970年、将来の直島に必要とされる教育文化施設を島の中心部に集める「文教地区計画」が動き始めた。その一環として石井のデザインで直島小学校が完成した。その後も学校施設・社会教育施設の整備が進められた。それらの設計では、子どもたちの創造力や豊かな人間性を育成するために、伸びやかさや明るさが強調された。1995年には、長期振興計画の目標である「安心して幸せな暮らしができる、あたたかい町の建設」を目指して、福祉と文化・スポーツの拠点となる生涯塾、総合福祉センターが完成した。さらに「瀬戸内海の一孤島を世界の直島へ、と町民が積み重ねてきた町づくりの努力を具象化した」町役場が1984年に竣工した。[注15]

「直島建築」と総称されるこれらの建物には、離島、孤島というマイナスの環境に挫けず、元気な島の子どもたちを育み、直島らしい豊かな暮らしを実現しよう、というまちづくりへの意欲が込められている。

三宅町長は、島の南部の観光開発については、当初、藤田観光株式会社と折衝を進めた。1966年に海水浴場、キャンプ場、レストハウスを備えた「無人島パラダイス」がオープンした。しかし、国立公園特別地域の規制でホテルの建設計画が頓挫し、1973年の第1次オイルショックでパラダイスの経営が悪化した。1987年に開発会社は解散し、直島の事業から撤退した。

一方、そのころ、岡山市に本社のある福武書店（現ベネッセホールディングス）の初代社長・福武哲彦氏は、「瀬戸内海の島に世界中の子どもたちが集える場をつくりたい」という夢を描いていた。１９８５年、三宅町長は福武社長と懇談、以降、福武書店が南部の開発に乗り出すことになった。しかし１９８６年に福武哲彦氏が急逝した。その意志を継いだ福武總一郎氏は、藤田観光の所有地の一括購入を決め、１９８８年に「直島文化村構想」を立ち上げた。１９８９年に直島国際キャンプ場をオープン。その後、福武書店は、１９９１年にアート施設・ホテルなどを運営する１００％出資の株式会社直島文化村を設立して本格的に活動を開始した。２００４年からはアートサイト活動をさらに展開するために直島福武美術館財団を設立した。

当時、父親の急逝により東京から岡山に戻った福武總一郎氏は、何度も直島を訪れた。瀬戸内海の島々を巡り、その豊かで穏やかな自然や歴史、生活などに東京にはない魅力を感じるようになった。また、近代化の荒波に痛めつけられた島々の悲惨な状況を目の当たりにした。土壌は樹木の活着が悪く、植林をしてもなかなか育たない。三菱マテリアルも植生を調査し、樹種を選んで植樹し、森林再生事業を実施するなど努力を重ねてきた。それでも直島北部は、今でも緑化困難地である。

打ち捨てられた犬島から問いかける

岡山市唯一の有人島である犬島は、良質な石の産地である。岡山城、大阪城の石垣や大阪築港の石と

直島コンテンポラリーアートミュージアム（現ベネッセハウス ミュージアム）
（建築：安藤忠雄／写真：山本糾）

犬島精練所美術館（作品：柳幸典／建築：三分一博志／写真：阿野太一）

して使われてきた。大阪築港の石の切り出し場となった明治時代、その最盛期には島の人口は5千人〜6千人にも及んだ。[注16] 1909年に犬島製錬所が創業したが、銅価格が大暴落し、製錬所はわずか10年で閉鎖に追い込まれ、その後90年間放置されていた。

ベネッセアートサイト直島の活動を、瀬戸内海の他の島にも拡張したいと考えた福武總一郎氏は、近現代史の影で大きなダメージを受けた犬島もアートの力で再生したい、と思い描くようになった。当時、長年放置されていた犬島製錬所の跡地に医療廃棄物の処分場をつくる計画があったが、福武氏は犬島が第二の豊島になることを防ぎたいと考え、用地の取得に動いた。

一方、1992年、直島コンテンポラリーアートミュージアム（当時）の開館に伴い個展に招待されたアーティストの柳幸典氏は、銅の製錬所廃墟がある犬島に出合った。犬島に移住し、1995年「犬島アートプロジェクト」を着想した。福武氏は、三島由紀夫が12歳から25歳までを過ごした旧居を解体して所蔵している。そこで柳氏に、三島邸をモチーフとした作品の制作を依頼し、柳氏は、2008年、建築家の三分一博志氏とともに、明治の近代産業遺構と昭和の三島由紀夫をモチーフにした作品と自然エネルギーの活用を融合させた美術館「犬島精錬所美術館」を完成させた。日本の近代化に貢献し、現在は廃墟と化した犬島製錬所に、近代主義に警鐘を鳴らした三島由紀夫を重ねて再生させた。既存の煙突やカラミ煉瓦を残し、自然エネルギーを活用し、犬島で採れる石やカラミ煉瓦を使って環境に負荷をかけずに設計された。

産廃の島を再び豊かな島へ

豊島の産業廃棄物不法投棄事件の発端は、１９７５年豊島の事業者「豊島総合観光開発株式会社」が、香川県に対し島の西端の水ヶ浦で廃棄物を取り扱う処理業の申請をしたことに始まる。１９７７年、住民が廃棄物処理場の建設差し止め請求訴訟を起こした。事業者は、事業内容を「無害物によるミミズの養殖」に変更。県はこれを許可したが、ミミズの養殖は隠れみのだった。実際は、許可の受けていないシュレッダーダスト（廃プラスチック類等）や廃油、汚泥の産業廃棄物を搬入し、処分地内で野焼きを続けた。ダイオキシンなどの有害化学物質が発生し、体調不良を訴える住民が続出し、子どもの喘息の発生率が増加した。

１９８７年に、兵庫県姫路海上保安署が許可なく廃棄物を運搬する豊島観光の船を見つけ、廃棄物処理法違反の疑いで検挙した。１９９０年には、兵庫県警が同法違反の容疑で事業者の処分場の強制捜査に踏み切り、１９９１年1月、豊島観光の経営者らを逮捕・起訴した。そうして、ようやく12年間に及ぶ豊島の廃棄物不法投棄が終了した。

残存する大量の廃棄物の処理、そこに含まれる有害物質による土壌や地下水の汚染、加えて「ゴミの島」という風評のために、島の農漁業は致命的な打撃を受けた。住民は国に公害調停を申請し、２０００年、県と住民との間で調停が成立した。そこから島の再生に向けた処理事業が始まった。廃棄物を溶解する中間処理施設が直島に建設され、廃棄物の除去および処理が行われるようになった。産廃

豊島美術館（作品：内藤礼／建築：西沢立衛／写真：鈴木研一）

を島外へ運び出し、汚染された地下水の浄化作業も進められた。

事件の影響で、代々続く、処分地沖合でのハマチ養殖をやめた島民は、「産廃問題を訴えるほど島のイメージが悪化し、魚を売りづらくなった。板挟みだった」と振り返る。

豊島は、その名のとおり島の中央にそびえる檀山（だんやま）の湧き水に恵まれて稲作が広がる「豊かな島」だった。漁業、石材業も活発だった。加工しやすく、火に強い「豊島石」は、栗林公園（高松市）や後楽園（岡山市）、桂離宮（京都市）などの庭園の石塔や灯篭に用いられてきた。酪農が栄え、「ミルクの島」とも呼ばれた。そのような豊かな島が、産廃事件により「ゴミの島」という悪評に苦しめられた

ヘザー・B・スワン+ノンダ・カサリディス（オーストラリア）「海を夢見る人々の場所」（筆者撮影）
眼前に広がる空と海をゆったり楽しめる。

のである。福武總一郎氏は、犬島の後、豊島でも美術館の建設に取り組んだ。一島一美術館の考え方である。「島の求心力として、一つの美術館を寺院や教会のようなシンボリックなものにしようと思った[注17]」という。

当時、休耕田が増えつつあった唐櫃（からと）に美術館をつくり、地元住民、福武財団、土庄町が協働して近隣の棚田を再生した。美術館の建築設計には西沢立衛氏、アーティストは内藤礼氏を選んだ。水滴のような形をした建物は、広さ40×60メートル、最高高さ4・5メートルの空間に柱が1本もないコンクリート・シェル構造で、天井にある2ヶ所の開口部から風、音、光を内部に直接取り込む。自然と建物が呼応する空間である。建物の内部では、一日中床から「泉」

が湧き出る。

「豊島産と名前のつく食べ物は売れない」と言われていたゴミの島だった。そこに2010年第1回瀬戸内国際芸術祭では、17万人を超える人が訪れた。船に積み残し客が出るほどにぎわい、島始まって以来の出来事になった。集落の空き家を建築家・安部良氏が設計・再生したレストラン「島キッチン」が開設された。島の食材を使い、島のお母さんたちが手料理で客をもてなした。

2022年第5回芸術祭では、豊島・甲生の海岸に、オーストラリアを代表する現代美術家と建築家が協働し、作品「海を夢見る人々の場所」が設置された。「海を眺めにこの浜辺を訪れるさまざまな人たちが腰掛け、海や空をより身近に感じ、思考を浮遊させるための場所[注18]」である。近所の人々が、朝夕の散歩に立ち寄る。そしてゆっくりと腰掛けて海を眺めている。

ハンセン病の隔離島・大島をひらく

大島も芸術祭をきっかけに大きく変わった。高松港から東方に8キロ。四国本土との最短距離1キロの、瀬戸内海に浮かぶ面積0・62平方キロの小さな島である。島の大半を国立療養所大島青松園が占め、白砂青松の静かな美しい佇まいである。

国立療養所大島青松園は、全国に13ある国立ハンセン病療養所の一つである。1909年に中四国の8県連合で、所在地の香川県が管理する「第4区療養所」として開設された。1941年に国立に移管

白砂青松の静かな大島（筆者撮影）

され、1946年に現在の名称である「国立療養所大島青松園」になった。

ハンセン病は「らい菌」という細菌が引き起こす感染症である。らい菌は非常に感染力の弱い菌だが、明治政府は1907年、「癩予防ニ関スル件」という法を制定し、屋外で生活している患者を療養所に入所させ、一般社会から隔離した。そのためハンセン病は伝染力が強いという誤認が広まった。さらに、1931年に「癩予防ニ関スル件」が改正され、患者を本人の意思に関わりなく強制的に隔離できるようになった。「強制隔離」である。

1941年、アメリカでプロミンというらい菌に効果のある薬が発明された。以来、ハンセン病は治療できる病気になった。海外では、プロミンの登場とその後の

大島からの景観（筆者撮影）
高松市にある屋島や五剣山が近くに見える。かつては海を泳いで逃走する人もいたという。

化学療法の確立により隔離政策の廃止が加速した。しかし、日本では1996年に「らい予防法」が廃止されるまで、半世紀にわたって強制隔離が続いた。「らい予防法」には退所規定がなかったので、多くの人が治った後も故郷や家族のもとに帰ることができず、療養所で亡くなった。[注19]

1998年、ハンセン病回復者が「らい予防法」は憲法に違反するとして国家賠償を求める裁判を起こし、2001年5月11日、原告の訴えを認める判決が熊本地裁から出た。国は控訴を断念し、「国による人権侵害」という司法判断が確定した。

2008年に、「ハンセン病問題の解決の促進に関する法律」が成立。同法は、「ハンセン病の患者であった者等およびその家族の福祉の増進、名誉の回復等のための措置を講ずることにより、ハンセン病問題の解決の促進を図る」と述べている。国の間違ったハンセン病対策と社会の偏見・差別により被害を受けたのは、患者・回復者だけではない。家族も大きな被害を受けた。患者を肉親に持った人たちが２０１６年に起こした裁判がハンセン病家族訴訟である。２０１９年６月28日、家族たちが受けた差別についても国に責任があるとする判決が熊本地裁で出され、国は控訴せずに判決が確定した。

しかし、差別がなくなったわけではない。今も家族から患者が出たことを隠して生活している人が多くいる。療養所の入所者も、偏見や後遺症、高齢化に悩み、社会復帰に消極的になりがちである。

大島の青松園では、１９０９年～２０１０年までの入所者（新入所、再入所、転所入所の合計）が３９４１人、死亡者２０７８人、転所者４１８人、軽快退所者３９６人、自己退所者４１８人、その他５１０人だった。２０１０年時点に在所者は91人いた。[注20] ２０２２年５月１日現在の大島青松園の入所者数は40人、平均年齢86歳である。[注21]

大島青松園自治会会長・森和男氏は、日本弁護士連合会の国立ハンセン病療養所視察調査（２０１１年）のヒアリングで、「一番の問題は将来構想である」と答えている。[注22] ２００８年に成立した「ハンセン病問題の解決の促進に関する法律」では、隔離政策による被害の回復や名誉回復とともに、資料館の設置や歴史的建築の保存、各種啓発活動、国立療養所を地域に対して開放することが定められている。大島青松園は離島である。島を地域に開放するといっても、当時、島の往復は官船しかなく、人々は簡単には来所できなかった。入所者の高齢化が進むなか、ハンセン病の後遺症の治療以外の一般疾患の治療をどうするか。特別養護老人ホームの設置も難しく、介護も課題である。
森氏ら入所者が瀬戸内国際芸術祭への参加を誘われたのは、「ハンセン病問題の解決の促進に関する法律」が審議され、成立した時期だった。香川県と高松市から「大島も瀬戸内国際芸術祭会場の一つとして参加しませんか」と声をかけられた。森氏は、「瀬戸内国際芸術祭は、大島だけでなく、ほかの島も皆高齢者ばかりになって活力がなくなってきているため、活性化する意味で県や市が計画を考えたわけですが、そういうなかに私たちも入って、一緒に大島をどうするか、してもらうか、考えてもらえれば、一つのきっかけになる、と思い将来問題を考えるうえで参加しました。多くの人に大島に来てもらい、大島のことを考えるうちに大島の将来についても考えてもらえればなおいいことですから。その機会に県や市の担当者に何度か足を運んで頂けるようになり、そういう普段の関係が積み上げられていかないと、なかなか大島の将来の問題は、実際に現実問題として動き出していかないと思っています」と、ヒアリングに答えている。[注23]
何をテーマに芸術祭に参加したらよいのか、最初のうちはわからなかったという。名古屋造形大学の高橋伸行氏や同大卒業生らが2007年以降、「やさしい美術プロジェクト」を企画し、定期的に大島を訪れ、入所者と交流を深めていた。そこで協働して芸術祭のプランづくりに取り組むことになった。「大島では、ハンセン病の歴史を広く知ってもらえる展示がよいのでは」ということで、使われなくなっていた独身寮を改装して大島の資料を展示する「つながりの家」（2013年グッドデザイン賞受賞）をつくった。面会人宿泊所は「カフェ・シヨル」になった。2013年第2回芸術祭では、絵本作家の田

こえび隊によるガイドツアーで大島について学ぶ（筆者撮影）

大島青松園「社会交流会館」（筆者撮影）
昭和30年代の大島を再現した手づくりのジオラマが展示されている。

島征三氏が加わり「青空水族館」という作品が制作された。

芸術祭の会場となったことで多くの人が訪れ、アート作品に触れ、療養所の存在や歴史を知るようになった。「最初は正直とまどいもありました。この芸術祭がなかったら、これだけ多くの人が大島へ来ることもなかったと思います。その意味でも、よいタイミングに恵まれたと感じます。アートってよくわからなかったけれども、こういうことができることにびっくりしています」と森さんは語る[注24]。

大島は大半を「国立療養所大島青松園」が占める。入所者や職員などの関係者のみが居住している。そのため離島振興法が定める離島に指定されなかった。離島振興法は、本土と離島の生活格差を是正するために、1953年に10年間の限時法として制定された。以降、10年ごとに議員立法により改正されてきた。離島振興法は、国の責務として無人島の増加や人口減少を防ぎ、定住を促す施策を積極的に進める、と述べている。風力発電などの再生可能エネルギーの活用、介護サービス、教育、防災など幅広いソフト事業を支援する「離島活性化交付金」、税制優遇や規制緩和をする「離島特区制度」が柱になっている。

国土交通大臣、総務大臣および農林水産大臣は、離島振興対策実施地域の振興を図るため「離島振興基本方針」を定めることになっている。都道府県は、国の「離島振興基本方針」に基づき、「離島振興計画」を定める。大島の離島指定は、2013年3月に検討されたが、振興方策が未策定であったために見送られた。そこで高松市は、国立療養所大島青松園入所者自治会の役員や有識者からなる「大島の在(あ)り方を考える会」を設置し、振興方針および振興方策を策定した。

大島振興方策の基本方針は、

①入所者の意向の尊重

②国有資産の有効活用

③有人島としての存続

④大島の特性を生かした振興

の4点からなる。「大島の特性」については、「この地におけるさまざまな歴史や文化とともに、白砂青松など、手付かずの豊かで美しい自然環境のほか、瀬戸内国際芸術祭を契機として生まれた、芸術祭関係者を始めとする島外の人々との交流が挙げられる。今後は、これらの特性を生かし、大島の魅力を顕在化させるとともに、新たな価値を創出し、大島の振興を図る」と瀬戸内国際芸術祭に言及し、人々との交流を活用することが明記されている。

四つの基本方針に基づき、大島の将来の振興を図るためには、

①ハンセン病療養所としての歴史を風化させず、大島青松園が存在した事実を歴史的遺産として残し、

②「歴史の伝承」と大島に関わる人の輪を広げ、それらの人々が大島の将来像を共有し、互いにふれあい、学び合い、つながり、

③それらの取り組みを継承し、交流・定住を促進する、

という方向が示された。[注25]

振興方策を策定後、２０１５年７月、政府は、大島を離島振興法の離島振興対策実施地域に指定した。

２０１９年第４回芸術祭に初めて大島に作品を出展した鴻池朋子氏は、作品制作のために大島に着いた途端、息苦しさを感じたという。入所者の抑圧された生活、何をしても「ハンセン病の」冠がつく現実…。「確かに大きな社会問題だが、こうした社会問題に対しては人間として対峙すべきであって、アーティストが報酬をもらって仕事をする現場ではないのではないか」と自問を繰り返した。そのため芸術祭の１ヶ月前まで作品に取り掛かれず、島を彷徨するばかりだったという。[注26]

鴻池朋子「リングワンデルング」（筆者撮影）

住居地区ではない、島の北側の山辺を歩いていた時、手すりのようなものを見つけた。１９３３年に青松園青年団がつくった「相愛の道」と呼ばれた散策路だった。荒れ果て、長い間閉ざされていた道をチェーンソーで切りひらき、路肩や森の中に「皮トンビ」や新しい道しるべを設置し、散策路全体を作品「リングワンデルング」として復活させた。リングワンデルングは、ドイツ語で「悪天候のため、方向感覚を失い、無意識のうちに同心円を描くように同一地点をさまよい歩くこと」を意味する。

鴻池氏は、社会問題に対峙することを強調されると何もつくれなくなるという。「大島の入所者は、本当に大変な生活だっただろうけれど、それでも日々の暮らしの中ではささやかな、楽しいこともあったのではないか。海辺で貝を拾って嬉しかった。夕日がきれいだった。子猫が生まれた。逃げようとしたけれど見つかってしまった。そんなささやかな、言葉にならないようなことを芸術祭がやろうとしているのならば、自分にも何かできるかもしれない。向き合う方法を自分の中で見つけることで、作品をつくれるようになった[注27]」。

2022年第5回芸術祭では、「リングワンデルング」から崖下の浜に降りる階段を石組みし、新作「逃走階段　エスケープルート」を制作した。国立療養所菊池恵楓園（熊本県）の絵画クラブ「金陽会」のメンバーの作品を、大島におよそ50点展示した。瀬戸内国際芸術祭の夏会期に高松市美術館で開催した鴻池朋子展会場でも100点を展示し、大島と高松市をつないだ。自らの個展に組み入れることで、「ハンセン病の」というレッテルをわきに置き、観客は真っ白な心で「金曜会」の作品と出合うことになった。金曜会の作品群は、鴻池氏が「生きるためのエネルギーを感じた[注28]」というとおり、眩しいほど明るい庭園、記憶のなかの温かい故郷、逞しく生きる動物、現実と幻想の間のような空間、その豊かな色彩。それらの作品が持つ力は、驚くほど強く、真っ直ぐである。

鴻池朋子「リングワンデルング」逃走階段（筆者撮影）
2022年芸術祭では散策路から崖下の浜へ降りる新たなエスケープルートが登場した。

高松市美術館「みる誕生 鴻池朋子展」（筆者撮影）
巨大な皮トンビがエントランスホールの空間を飾る。2019年芸術祭の際、大島の周回路「リングワンデルング」の森に吊られた「大島 皮トンビ」も展示された。

この人に聞く

福武總一郎氏（瀬戸内国際芸術祭総合プロデューサー、公益財団法人福武財団名誉理事長）

在るものを活かして、無いものを創る

私の父は、国吉康雄という岡山出身の画家の絵を収集していました。私も子どものころに絵を習い、絵画は大好きでした。国吉は17歳でアメリカに渡航し、働きながら絵について苦学した人です。当時、アメリカの代表的な画家と並ぶほどの才を発揮したようでした。作品は、孤独にたたずむ人物像、哀愁を持った女性、人間の二面性など、強いメッセージ性と表現力を持っています。私もその絵に強く惹かれました。

アートが持つメッセージ性を私は感じていました。現代アートは、今日の社会の課題や矛盾を作品に込めています。そういう作品を守り、それを活かして地域の再生をしようと考えました。その意味では、アートの持つ力を信じています。ただ、都市にある美術館に行き、人工的な空間の中で作品を眺めてもそれほど感激しない。メッセージ性のある作品は、それにふさわしい場所や環境に置くことによってその力を発揮できると思います。

１９８６年、父の急死で東京から岡山に戻りました。そして父のやりかけた直島のキャンプ場づくりを引き継ぎました。何度も直島を訪問し、瀬戸内海の島々を巡りました。若いときは東京が好きでしたが、直島に関わり、考え方が１８０度変わりました。東京というまちが日本をつく

りましたが、今は東京というまちが日本をダメにしている、と感じています。もっと地方が輝くような国であってほしい。日本をよくするためには、地方分権を進めないとダメなのではないか、国は個性と魅力のある地域の集合体でなければならない、とずっと発言してきました。

瀬戸内海は日本が誇る最も美しい場所です。幕末から明治時代にかけて来日した外国人が、瀬戸内海ほど美しいところはないとほめています。しかし、ほとんどの日本人は、その美しさに気づいていなかった。1934年、日本で最初の国立公園になったにもかかわらず、直島や犬島には銅の製錬所がつくられ、亜硫酸ガスの煙害に苦しみました。豊島では、産業廃棄物の不法投棄がありました。大島には、ハンセン病の療養施設があり、社会との隔絶に使われました。そういう社会に憤りを抱きます。社会と戦うためには、武器が必要です。現代アートは、その武器になります。

私が大事にしているのは、「在るものを活かして、無いものを創る」ということです。1989年、直島で古い集落に残る民家などを改修し、現代美術の作品に変える「家プロジェクト」をスタートしました。島民を巻き込む最初のプロジェクトでした。改修した家はボロボロでしたが、そこに暮らしていたごく普通の人々の生活や息遣いを現代的なものと組み合わせることによって、お年寄りの人生、島の歴史を再生したいと考えました。東京に代表される日本の経済偏重の成長モデルは、「在るものを壊し、無いものを創り続けて肥大化する」文明です。そこに経済効果がある、という発想です。そうではなく、「在るものを活かして、無いものを創る」文

家プロジェクト「角屋」（修復監修：山本忠司／写真：上野則宏）

明に転換しなければならない。家プロジェクトは、そのメッセージを具現化したものでした。

とはいえ、それほど大仰に構えているわけではないのです。直島や瀬戸内海がよくなればいい、そこに暮らす人々が元気になればいい、そう思ってやっています。

瀬戸内国際芸術祭がもたらす最大の効果は、地域のお年寄りが元気になることです。人間は幸せになりたいと思っていますが、幸せになるには、幸せなコミュニティに住むことが大切です。幸せなコミュニティというのは、人生の達人であるお年寄りの笑顔があふれているところです。お年寄りは、物やお金、あるいは娯楽では動かない。人生の酸いも甘いも知っている人々が喜び、笑顔を見せる、それが最も重要なことです。崇高なことだと思います。それを現代アートならできる、という信念がありました。

人も地域も、他人から見られて元気になるし、きれいになる。島に現代アートがやってきてその作品づくりのプロセスにお年寄りが参加する。作品ができるとそれを見るために島外から若い人が来ます。制作に多少でも参加したお年寄りが、そのアートについて、勝手な解釈で若い人たちに説明をする。現代アートはどういう解釈でもいいのです。そこにコミュニケーションが生まれる。そういう素晴らしさを感じてくれると嬉しい。

瀬戸内国際芸術祭が多くの人を惹きつけるのは、瀬戸内海の美しさにあります。瀬戸内海の美しさとアートとの組み合わせのおもしろさです。島は戦災にあっていない。日本の原風景が残っています。そして島の人々の優しさやホスピタリティがあります。

私は現在、ニュージーランドで暮らしています。半面、日本についてたいへん憂慮しています。文化が国や地域のアイデンティティをつくると考えていますが、近代日本 ― 明治以降、日本は誇れる文化を創ってこなかったのではないでしょうか。江戸時代までの文化が世界に誇る文化で、近代以降、経済は発展しましたが空っぽの国になってしまった、と思います。その危惧は強くなっています。日本はもっぱら先人がつくり、残してくれたもので生きている国ではないか、と思っています。

日本は議論をしない国になりました。有能な移民が多い国には、多様な文化や考え方があります。さまざまな意見が交わされています。しかし、日本は何が正しいのか、どうすべきかということを議論しない国です。

太平洋戦争のころから日本の食料とエネルギーは大きな課題でしたが、それについて反省も議論もない。瀬戸内海の島々は、もともと自給自足です。それに学び、自らの力で生き延びることができる持続可能な地域をつくりたい、という思いもありました。

地方がもっと資金と権力を持ち、有能な人材が地方を担うようにならなければならない。地方が輝く国づくりです。

（2022年5月19日　オンラインにて　筆者インタビュー）

3章

瀬戸内国際芸術祭のマネジメント

――運営と仕組みづくり――

1 瀬戸内国際芸術祭ができるまで

豊島問題の解決

2007年、香川県議会9月定例会で当時香川県知事だった真鍋武紀氏は、瀬戸内国際芸術祭の開催を表明した。

「瀬戸内国際芸術祭の構想は、2010年に直島周辺の島々において、島々の歴史や文化を活かした現代アートの活動や作品による国際的な芸術祭を計画しているものである。この構想は、島々の活性化や交流人口の増加、本県の芸術文化によるにぎわいづくりのほか、世界に向けて瀬戸内海や香川を情報発信していくことにもつながるものと期待されることから、県としても、今後設立される実行委員会に参画し、地元市町や関係の方々とも協議しながら、芸術祭開催に向けて取り組みたい」。

この決断により、アートを道しるべに瀬戸内海の島々を船で巡りながら、島々の伝統的な生活文化や歴史、瀬戸内海の美しい自然を体感する、国際的なアートの祭典「瀬戸内国際芸術祭」がスタートすることになった。

真鍋氏が香川県知事に就任したのは１９９８年9月7日。バブル経済が崩壊し、バブル期以降続いていた大型事業 ― 県立高校の新設整備、産業交流センター、さぬきこどもの国、社会福祉総合センター、丸亀競技場などの建設投資が嵩み、１９９７年度末の県債残高は５０７２億円になり、財政が悪化し始めていた。同じころ、国は「聖域なき構造改革」「三位一体改革」を打ち出し、地方交付税が削減された。県の財政再建、人件費の抑制は喫緊の課題であった。

住民と県の深刻な対立が長く続いていた豊島産業廃棄物問題も、解決の道筋が見えず、膠着していた。この問題は、１９７８年、県が土庄町豊島の豊島総合観光開発に産業廃棄物処理業の許可を出したことに端を発する。豊島開発は、１９７０年代後半から１９９０年にかけてシュレッダーダストや廃油、汚泥などの産業廃棄物を収集し、処分地に大量に搬入して野焼きを続けてきた。子どもたちに喘息などの健康被害が起きた。豊島の住民は、県が責任を認めたうえで原状回復することを求め、国に公害調停を申請していた。

真鍋氏は知事就任後、県財政の立て直しに着手する一方、豊島問題の解決を県政の最重要課題に掲げた。

37回の調停を経て２０００年6月6日、知事が公害調停で謝罪し、ようやく原状回復の合意が成立した。その後、中間処理施設を直島町の三菱マテリアル直島製錬所敷地内に建設し、豊島の廃棄物と汚染土壌を海上輸送して直島に運び、無害化処理することになった。豊島に不法投棄された91万8千トンの産業廃棄物の搬出、および残土（汚泥）処理などが完了したのは２０１９年7月のことである。

観光、文化、スポーツを活かしたまちづくり

財政再建の目処が立ち、豊島産廃問題に決着がついたころ、香川県と瀬戸内海振興の柱として、観光、文化やスポーツ振興に力点が置かれるようになった。

2002年にフィルムコミッションを立ち上げ、映画のロケ誘致を始めた。「機関車先生」「世界の中心で、愛をさけぶ」「春の雪」「県庁の星」などのロケ誘致に成功し、2006年には「さぬき映画祭」を開催するに至った。

2003年、県庁に「観光交流局」を設置した。「観光には民間の力が必要である」との考えから、香川県観光協会の会長、専務理事を民間から招聘し、官民あげての体制づくりが進められた。文化芸術の振興をめぐっても、2007年に県教育委員会にあった文化行政課を知事部局に移管し、「文化芸術の振興による心豊かで活力あふれる香川づくり条例」を制定した。

香川県にはプロスポーツは存在しなかったが、2005年、四国各県の野球チームが競う独立リーグ「香川オリーブガイナーズ」、2006年にはJリーグ入りを目指すサッカーの「カマタマーレ讃岐」が生まれた。さらにバレーボール、アイスホッケー、バスケットボールでも、香川県をホームタウンとするスポーツクラブが誕生した。この5団体は、地域の活性化や子どもの健全育成に連携して活動するようになった。

日本一面積が小さな香川県は、他産地との差別化を図るために、県オリジナル品種の開発にも熱心である。新品種小麦「さぬきの夢2000」、アスパラガス「さぬきのめざめ」、キウイフルーツ「さぬき

ゴールド」、いちご「さぬき姫」などオリジナル農産物の開発が続いている。日本で初めて成功したハマチの養殖にも力を入れている。ハマチは県魚である。県産のオリーブの葉を粉末にして餌に添加し、健康的な「オリーブハマチ」も誕生した。

豊島の産廃問題解決に取り掛かっているときに、真鍋知事はベネッセコーポレーション代表取締役会長だった福武總一郎氏に出会った。福武氏は、1992年、直島コンテンポラリーアートミュージアム（現ベネッセハウス ミュージアム）を開設し、1998年には民家などと現代アートを融合させた「家プロジェクト」に着手していた。「現代アートで直島を元気にしたい」とさまざまな活動を進めていたが、「それを瀬戸内海の他の島にも広げたい」と知事に語った。この出会いが瀬戸内国際芸術祭の開催につながっていく。

若手職員の政策提言と直島の活動が一つにつながる

香川県は、県庁の若手職員を育成するために「職員政策研究」を実施していた。2004年、若手の職員グループが瀬戸内の島々を舞台にした国際美術展「アートアイランドトリエンナーレ」開催を含む政策を知事に提言した。グループのメンバーだった増田敬一氏は、県庁内の公募に手を挙げ、2005年4月、観光交流局にぎわい創出課に異動した。異動先では、ベネッセコーポレーションと連携し、どのようにアートによる活性化事業を進めるかを検討することになった。「提言した案では、東側は直島を拠点とする。西側は丸亀市本島を中心に陸地側を含めて展開する内容でした。しかし、検討当初は手

探り状態でした」と増田氏はいう。[注1]

進研ゼミ（福武書店）の小学生を対象にしたサマーキャンプに、岡山大学の学生時代からアルバイトとして参加していた福武財団事務局長・笠原良二氏は、福武書店入社後の1993年から直島プロジェクトを担当するようになった。瀬戸内国際芸術祭の基本的な構想固めが始まった2004年ごろのことを以下のように振り返っている。[注2]

「2004年1月に当時内閣総理大臣だった小泉純一郎氏が豊島・直島に視察に来られるというお話がありました。豊島までは来られたのですが、時間がなくなり直島には寄られなかった。そこで福武が総理に手紙を書きました。すると官邸に来るようにと連絡があり、当時首相秘書官だった丹呉泰健氏にお会いし、瀬戸内海の島々を文化芸術により活性化する構想についてお話をしました。その時、『全国都市再生モデル調査』に応募してはどうか、とアドバイスをいただき、第2回の公募時に応募しました。そこでついた調査費で『瀬戸内アートネットワーク構想』というプランをつくりました。

備讃瀬戸の島々の面積や人口、風土や経済活動、文化など現状をリサーチし、地域活性化とアートを結びつけて提言しました。その調査の一環で、2005年2月19日に高松市で公開シンポジウム『瀬戸内アートネットワークの可能性』（主催：直島福武美術館財団、共催：国土交通省四国地方整備局、香川県）を開催しました。福武、真鍋知事、濱田直島町長、大蔵省四国財務局長を務められた中山恭子氏らが登壇しました。結果的に、これがその後の瀬戸内国際芸術祭の気運を醸成する一役になったと思います」。

こうして香川県庁の動きとベネッセアートサイト直島の活動が一つになっていく。直島福武美術館財団（現福武財団）は2006年10月、直島で展覧会「NAOSHIMA STANDARD2」を開催したが、その際、香川県はベネッセアートサイト直島と連携して県内の美術館や金刀比羅宮に声をかけ、瀬戸内アートネットワーク推進協議会をつくり、スタンプラリーを実施した。また、直島と小豆島、坂出を結ぶ新航路の実験も行った。

福武氏は2003年、北川フラム氏がディレクターを務める第2回「大地の芸術祭　越後妻有アートトリエンナーレ」を訪れた。そして2006年の第3回大地の芸術祭からは、同芸術祭の総合プロデューサーに就任した。その縁で、北川氏に瀬戸内国際芸術祭での協力を依頼した。福武氏が「大地の芸術祭のようなアート活動を瀬戸内でやりたい」と思い、北川氏を連れて真鍋知事に会いに行ったのが2007年4月である。

福武氏には、ベネッセコーポレーション代表取締役会長という経済人と、直島で取り組む現代アートをいかした地域活性化の先駆者の顔があった。北川氏には、大地の芸術祭をはじめ多くのアートプロジェクトを率いてきた経験とパワーがある。そこに県が持つ力 ― 許認可権、基礎自治体や各業界に対する説得力、住民とともにまちづくりを進める行政力 ― を加える。「三者が力を合わせればできる」と真鍋氏は考えた。[注3]

そのころ香川県は、ある工場誘致に力を入れていた。しかし、その案件はマレーシアに負けてしまった。工場誘致は、アジア近隣諸国との競争になっていた。一地方自治体では、到底叶わなくなっていた。工場誘致などのハードな経済振興をある程度卒業し、ソフトに注目する。つまり芸術文化を活かした地域振興に力を入れることになった。

2007年9月の香川県議会定例会で、知事が瀬戸内国際芸術祭の開催を表明し、2008年3月、香川県当初予算に瀬戸内国際芸術祭推進事業が予算計上された。同年4月、瀬戸内国際芸術祭実行委員会を設立、開催に向けて本格準備がスタートした。

2010年7月19日の海の日、「海の復権」をテーマに掲げた第1回瀬戸内国際芸術祭が開幕された。七つの島 ― 直島、豊島、女木島、男木島、小豆島、大島、犬島 ― と高松港を会場にして「アートと海を巡る100日間の冒険」が始まった。

2 本気の官民協働 ――実行組織のあり方

実行委員会の構成

第1回瀬戸内国際芸術祭実行委員会の構成団体は、表3・1のとおりである。会長は香川県知事の浜

瀬戸内国際芸術祭実行委員会

会　　長　：香川県知事　浜田恵造
名誉会長 *1：前香川県知事　真鍋武紀
副 会 長　：香川県商工会議所連合会会長　竹崎克彦 *2
　　　　　：高松市長　大西秀人
総合プロデューサー：福武總一郎（(財)直島福武美術館財団理事長）
総合ディレクター　：北川フラム（女子美術大学美術学部教授）
構成団体　：香川県、高松市、土庄町、小豆島町、直島町、(財)直島福武美術館財団、(財)福武教育文化振興財団 *3、香川県市長会、香川県町村会、四国経済産業局、四国地方整備局、四国運輸局、国立療養所大島青松園 *4、四国経済連合会、香川県商工会議所連合会、香川県商工会連合会、(社)香川経済同友会、香川県農業協同組合、香川県漁業協同組合連合会、(株)百十四銀行、(株)香川銀行、香川大学、四国学院大学、徳島文理大学、高松大学、香川県文化協会、(財)四国民家博物館、(社)香川県観光協会、(社)日本旅行業協会中国四国支部香川地区会、(財)高松観光コンベンション・ビューロー、香川県ホテル旅館生活衛生同業組合、四国旅客鉄道(株)、高松琴平電気鉄道(株)、香川県旅客船協会、(社)香川県バス協会、香川県タクシー協同組合、(財)香川県老人クラブ連合会、香川県婦人団体連絡協議会、(社) 日本青年会議所四国地区香川ブロック協議会、香川県青年団体協議会、さぬき瀬戸塾
〔オブザーバー〕
岡山市、玉野市 *5、岡山県商工会議所連合会、岡山大学

*1　2010 年 10 月 14 日から
*2　2010 年 11 月 1 日から
*3　2009 年 3 月 20 日（第 3 回総会）から
*4　2010 年 3 月 30 日（第 5 回総会）から
*5　2008 年 11 月 11 日（第 2 回総会）から

45 団体（うちオブザーバー参加：4 団体）

表 3・1　2010 第 1 回瀬戸内国際芸術祭実行委員会の構成団体
（出典：2010 総括報告より）

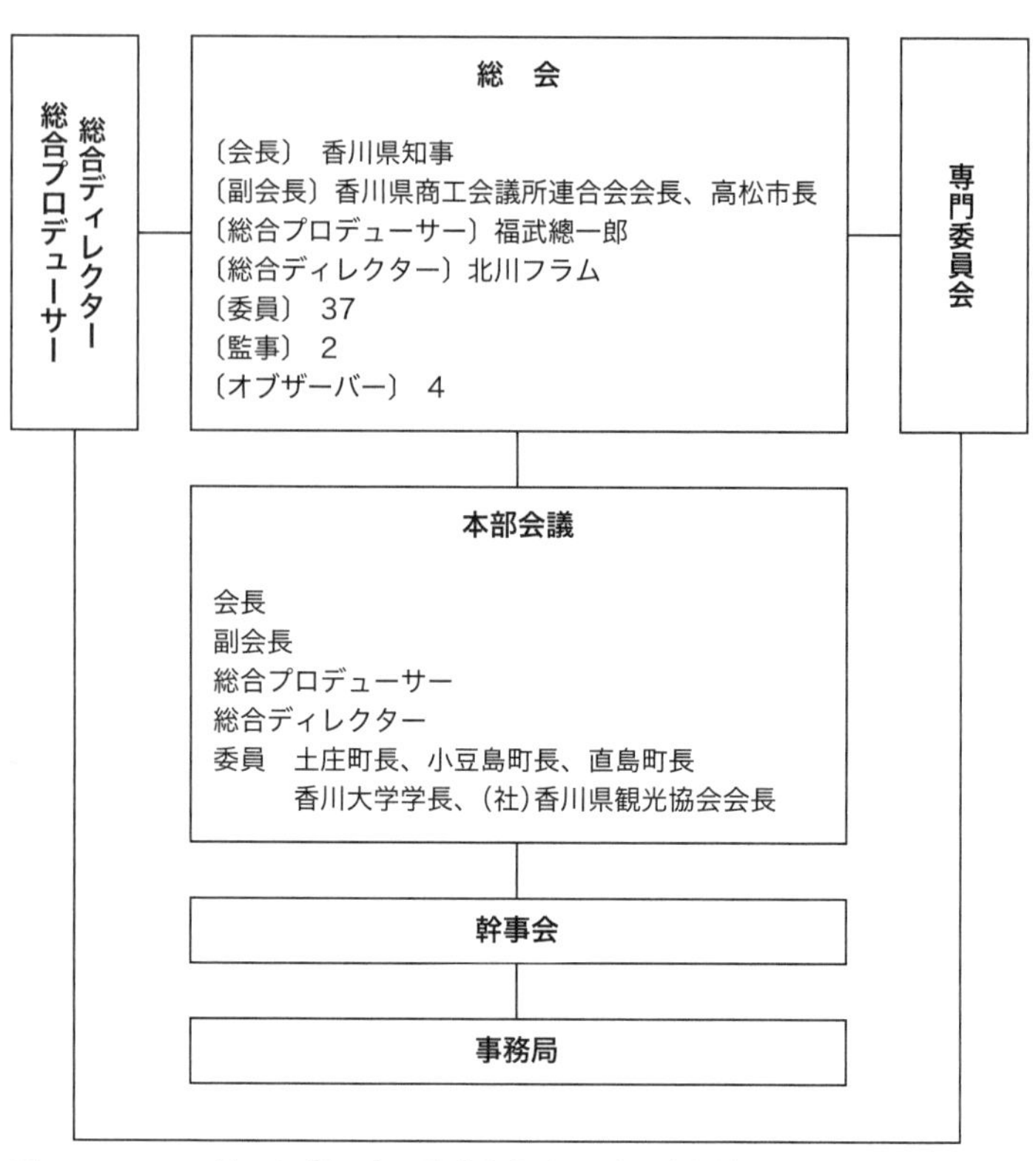

図3・1　2010第1回瀬戸内国際芸術祭実行委員会組織図
（出典：2010総括報告より）

田恵造氏（2010年9月に知事が交代。真鍋武紀氏は実行員会名誉会長に就任）、総合プロデューサー・福武氏、総合ディレクター・北川氏、副会長に香川県商工会議所連合会会長の竹崎克彦氏（2010年11月1日〜）と高松市長の大西秀人氏が就任した。構成団体には、香川県、開催地である各市町、国の機関（四国経済産業局、四国地方整備局、四国運輸局、国立療養所大島青松園）に加え、経済団体、交通事業者、大学、民間団体が参加した。開催会場のある犬島は岡山市、フェリーが発着する宇野港は玉野市にあるため、両市がオブザーバーになった。第1回の実行委員会の組織図は図3・1である。

実務を担う実行委員会事務局の初代事務局長には、香川県観光交流局長の川池秀文氏、事務局次長には香川県の次長、課長計5人と直島福武美術館財団事務局長が就いた。事務局員は、香川県瀬戸内国際芸術祭推進室14人の他、文化振興課2人、小豆総合事務所、国際課、観光振興課、県産品振興課、農政課、教育委員会生涯学習・文化財課2人など、計29人だった。さらに、高松市国際文化振興課6人、土庄町商工観光課3人、小豆島町企画財政課3人、直島町建設経済課3人、そしてベネッセアートサイト直島から笠原氏が加わった。アート作品の制作には、アートフロントギャラリーのスタッフが携わった。政策を提言した増田氏も実行委員会事務局メンバーになった。

ボランティアサポーター「こえび隊」の発足

2009年10月、瀬戸内国際芸術祭ボランティアサポーター「こえび隊」が発足した。瀬戸内国際芸術祭は、香川県をはじめとした行政、企業、アーティスト、芸術祭の舞台となる島民・住民、幅広い関係者で成り立っている。その間のつなぎ役としてのボランティア組織が不可欠になる、という北川氏の提案を踏まえてメンバーの募集を始めた。「こえび隊」の名前は、海老が豊かな里海で長寿を象徴する目出たい生き物であること、海老のように元気に、そして豊かに年齢を重ねてきたおじいちゃん、おばあちゃんの笑顔が瀬戸内に一人でも多く増えること ― を願って命名された。

2011年2月、法人化し、非営利活動法人瀬戸内こえびネットワーク(理事長 北川フラム)を設立した。瀬戸内国際芸術祭では、ボランティアサポーターの事務局機能を担っている。豊島の「島キッチン」の運営、公式グッズの販売、芸術祭を開催していない期間に行われる「ＡＲＴ ＳＥＴＯＵＣＨＩ」のアート作品の公開、その他さまざまなイベントを担当している。また、島間や行政、民間機関の活動を仲介し、媒介者として機能している。瀬戸内こえびネットワーク活動の内容は以下のとおりである。[注4]

①瀬戸内国際芸術祭ボランティアサポーターこえび隊運営
②アート作品管理・運営
③アートイベントの企画・運営
④島行事参加、交流事業
⑤レストラン(島キッチンなど)の運営および物販
⑥ガイド事業・旅行サービスの手配業
⑦他地域とネットワークを構築し、本法人の質的向上を目指す

本気の官民協働を実現

「瀬戸内国際芸術祭では、行政、総合プロデューサー、総合ディレクター、ボランティアサポーターなどの役割分担がうまくいった」と実行委員会のメンバーは口を揃える。産官学民を集めて実行委員会を組織し、しっかり運用されている。それが成功の要因になっている。

香川県知事、高松市長は、事務局にどのような人材を派遣するかに腐心してきた。やる気がある、複雑な実行組織をまとめることができる——そういうタイプの人材を選ぶ。文化や芸術に興味がある、というだけでは瀬戸内国際芸術祭のような大きな催しを円滑に運営できない。予算にも限りがある。限られた財源を効率的、効果的に運用しなければならない。瀬戸内国際芸術祭は、国立公園内の催しである。島への交通機関は船だけだ。島民ともきめ細かく意思疎通し、理解と支援を仰がなければならない。祭を担う行政の役割は大きい。

初めての試みがいくつもあった。それをスタッフ全員でつくりあげてきた。若手スタッフの意見も積極的に採用した。各船会社を自由に乗船できるフリーチケットの採用が提案された。高松市の中央通りに芸術祭の旗を掲揚するアイデアが出された。フリーチケットは便利だが、利益をどのように各社間で分配するかなど厄介な課題があった。それでも解決するように知恵を絞った。

芸術祭では、日々、アクシデントが起きる。第1回芸術祭では、想定以上の人が来場し、船を待つ人が港にトグロを撒き、混雑した。増田氏は振り返る。「高松港に早朝から人が並び始め、慌てて整理券を用意しました。夕刻に男木島の港に200人ほどの人が帰途の船待ちをしたときは、船会社にピストン運行をお願いし、全員を高松港まで無事送り届けてもらいました」。毎日反省会をし、予定の変更が続く。「前例を踏襲しがちな公務員らしくない」仕事になった。

「行政と民間の強みがうまく組み合わされました」と笠原氏はいう。逆にそれぞれに弱点もある。行政は前例主義に陥りがちである。企業はその時々の経営状況に揺れ動かされる。2017年4月から2019年3月まで実行委員会事務局次長、2019年4月から2020年3月まで同事務局長を務めた香川県観光協会専務理事の佐藤今日子氏はいう[注5]。

「瀬戸内国際芸術祭は関係者が多い。福武財団、ディレクター、アートフロントギャラリー、こえび隊、開催各市町、協賛企業…。開催中は、警備、案内所運営、ボランティア、船会社をはじめ多くの人々が関わってくる。もちろん島民、県民も参加します。関係者に気持ちよく仕事をしてもらい、大きな目的に向かって仲間として一緒に盛り上げていく。そのことに最も気をつけていました。そのためには普段のコミュニケーションが大切です。

どこに向けても事務局は無理をお願いする側でした。市町、船会社、関係する事業者、島民に厄介をお願いしました。その時、『仕方がない。やってみるよ』といっていただくためには、常日ごろからの人間関係が大事です。

一言で官民協働と言いますが、実際は難しい。言葉だけに終わらずに、本当に官民協働ができているかが問われます。瀬戸内国際芸術祭では、それができていると思っています。やろうという意志がしっかり噛み合っています」。

県議会で起こった批判

第1回芸術祭では、県民、市町、議会のいずれも様子見という雰囲気だった。「現代アートなどというわけのわからないものが本当に人を惹きつけるのか」「各島を船で移動する不便さを考えても、来場者があるだろうか」。お手並み拝見の風情だった。ところが、予想以上の来場者を迎えることになった。第2回芸術祭では、沙弥島、本島、高見島、粟島、伊吹島の5島と宇野港が新たに加わった。

しかし、第3回芸術祭の際に香川県議会で議論が起きた。第1回からアート作品については招待作家に加えて公募作品を募集した。結果的に海外アーティストと県外の作家が多くなった（第1回は76作品のうち香川県関係者は8作品、第2回は参加作家200組のうち香川県関係者は21組）。議会から「もっと地元の芸術家を採用すべきだ」「総合ディレクターに権限が集中しすぎている」などの批判が噴出した。

2019年第4回までの公募要項には、公募作品の審査員として総合プロデューサーの福武總一郎氏、総合ディレクター北川フラム氏の2人が明記されていた。最終的には瀬戸内国際芸術祭実行委員会が決定する、と記されていたが、作品の選定に行政は関わらず、専門家に委ねられていた。そこには行政の一般原則である「公平性・平等」と衝突しかねない、「作品の芸術性・質の高さこそが芸術祭の生命線である」という判断があった。

芸術祭は美術館の企画展とは異なる。毎回、ディレクターや芸術監督が交代する芸術祭もある。その場合、開催回ごとにそれぞれの芸術監督の考え方によってテーマを変えて企画される。それに対して瀬戸内国際芸術祭のように固定したディレクターによる運営では、「行政の『公平性・公正性』に風穴をあけることができる」「先鋭的な価値観をもち、冒険心に飛んだ民間人・民間組織に企画を全面的に委ねたことから実現した」[注6]などの好意的な評価がある。半面、「企画が一方的に決定されて事業が推進される」「特定の価値観に基づく芸術的価値を最優先し、意思決定されることがある」[注7]、「企画・運営の権限が特定の人間・組織に集中し、住民との実質的な関わりが少なくなる、住民や地元アーティストに対する支援や文化サービスが希薄になりがちである」[注8]といった指摘がある。

これらの指摘については、これまでの5回の開催実績、住民アンケートや意見交換会などで聞かれた地元の声、芸術祭による関連施策の拡大や波及効果などを分析し、第7章で検討する。

香川県議会で起きた議論については、「真に人を惹きつける作品、世界レベルの現代アートを理解する人は総合ディレクターしかいない。作家や作品の選択に関しては、行政は専門家を信頼し、任せるべきである」と説明し、理解を促した。

北川氏はいう。

「芸術祭の場合、とくに最初の3回は、開催地の出身者か否かで作品を選ぶような視点ではダメだと言い続けていいます。議会では必ず議論になります。しかし、常々自分の周りにある作品と同レベルなら、だれもわざわざ不便をおしてまで見に来ない。作品の質は批判を浴びても守ります。ただし、しっかり成果をあげる。それが大切です。

税金を使う以上、住民や議員がさまざまな発言をするのは当然のことです。むしろ、それが行政と一緒にやる意義です。芸術の公共性を考える良い機会になります[注9]」。

行政の公平性・平等性、税負担者と税金の使途の議論は、芸術祭に限らず、公共政策全般をめぐって起こり得る。とくに評価や価値観が多様な文化分野では、議論になることが多い。

例えば、西日本随一のオペラ劇場として名高い滋賀県立芸術劇場びわ湖ホール（以下びわ湖ホール）では、2008年、滋賀県議会でびわ湖ホールの運営費をめぐり、「福祉か、オペラか」の議論が起きた。乳幼児などの福祉医療費助成の財源として、びわ湖ホールの自主運営費を削減する予算修正案が検討されたことがあった。急遽、「びわ湖ホールを応援する会」が結成され、署名活動が始まった。最終的に福祉医療費の助成増額分は財政調整基金を取り崩す案が可決され、びわ湖ホールの予算削減案はなくなった。オペラの自主制作には億単位の費用がかかる。入場者1人当たり、入場料の2倍近い県費が助成されている。入場者の過半数が県外客という状況を踏まえ、年間11億円を超す県補助金について県議会では、「今後も同じように維持管理し続けることに県民の理解が得られるか」という質問があった。公共圏の設定や税負担者である県民に対する説明責任、そして県民のコンセンサスをいかに形成するか。文化の公共性をめぐる課題が顕在化した出来事だった。

小豆島土庄港にて（筆者撮影）
2022年9月4日第5回芸術祭夏会期最終日、土庄港に住民が訪れ、「また秋にも来てね」と声をかけながら、手づくりの旗やテープで来場者を見送った。

地域住民の声に耳を傾ける

瀬戸内国際芸術祭では、芸術に関する権限は専門家に任し、行政は民間のできない業務に専従する、という役割分担が明確である。それが成功要因になっている。その際、ステークホルダー間の尊重、信頼関係、そして地域住民とのコンセンサスの形成が重要である。第1回は、開催前年の2009年12月から島民説明会を始めた。芸術祭が回を重ねても、各島、開催地で丁寧な住民説明会、住民意見交換会を実施している。芸術祭終了後、翌日から事務局は各島を回り、住民からの意見聴取に努めている。

地域型の芸術祭では、地域住民や地元企業、団体、学校などの、地域を最もよく知る人や組織がステークホルダーになる。そのことが継続的な地域活性化の観点からも大切である。作品制作の協

「立入禁止」の看板（筆者撮影）
新型コロナウィルス感染症への配慮か、小さな島では「この先、集落につき立入禁止」の看板が設置されていた。

働の場以外でも、地元の人たちの活躍の場は多い。島のレストランやお弁当づくりでは、地元食材を使ったお母さんたちの手料理が提供される。特産品の市が立ち、ちびっこガイド隊が客を案内する。高校生が企画や課題研究、観光ガイドに取り組む。地元の大学生が祭のインターンシップに参加する。教育機関との連携も活発である。

2022年9月4日、芸術祭夏会期の最終日、船が小豆島土庄港から出航するのを、100人以上の島民が見送った。「また秋に来てね」と声をかけ、手づくりの旗を振った。

芸術祭終了後に発行される公式記録集には、「芸術祭を支えた人々」のページがある。

住民アンケートでは、「芸術祭に関わりがなかった」と答える住民も半数はいる。男木島は細路が複雑に入り組んでいる。来場者が民家の路地にしばしば迷い込む。住民の間には、「落ち着かない」「昼寝ができない」などの声があった。第5回芸術祭では、新型コロナウィルス感染症の影響下、医療体制が脆弱な島に都会から大勢の人が押し寄せることに対し、島民の間に不安があった。男木島や女木島の路地では、「集落につき立入禁止」の立て札を見かけた。そうしたきめ細かい配慮も含め、芸術祭に積極的な島民の声にも、消極的な声にも耳を傾けることが肝要である。

3 経営資源をいかに集めるか

財政的基盤 ——財源のバランス

2010年第1回瀬戸内国際芸術祭から2022年第5回までの収入の推移は図3・2のとおりである。第2回芸術祭には、沙弥島、本島、高見島、粟島、伊吹島の5島と宇野港が新たに加わったため、第1回の収入（3カ年）7億9千万円から第2回は11億8千万円に大きく増加した。以降、第3回13億9千万円、第4回13億2千万円、第5回12億8千万円。第2回以降、行政の負担金はほぼ一定であ

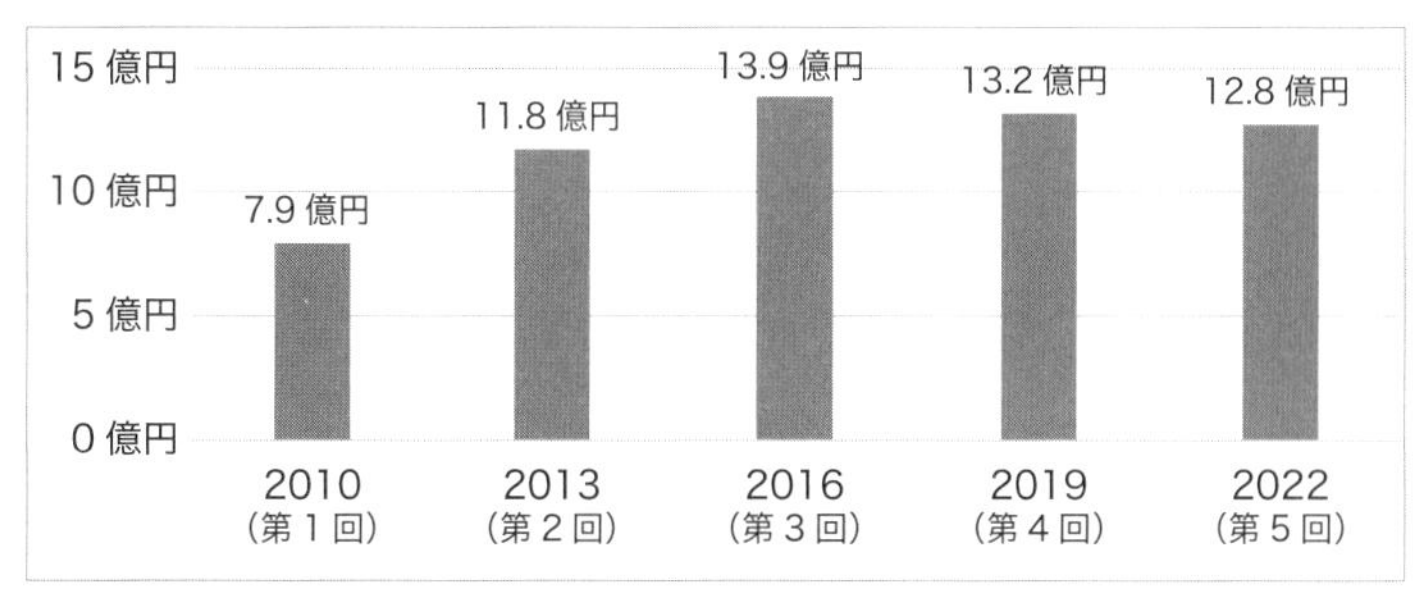

図3・2　第1回から第5回芸術祭までの予算（収入・3カ年）推移
（出典：各回総括報告より筆者作成）

る。収入の増加分は、企業の協賛金、文化庁をはじめ各種助成金・補助金、チケット・グッズなど売上金の増による。

2019年第4回芸術祭の収入の内訳を見てみる（図3・3）。芸術祭の予算は、開催年度を含む3年間で組まれる。芸術祭開催期間以外には、「ＡＲＴ ＳＥＴＯＵＣＨＩ」と題したアートプロジェクト、作品のメンテナンス、広報活動、島での催しなどの予算もある。本祭時に比べて人数は絞られるが、事務局も運営を続けている。

第4回芸術祭の収入は、実行委員会の負担金収入が6億2千万円だった。香川県が2億円、高松市をはじめ関係市町が2億3千万円、福武財団が1億9千万円を負担した。県負担金の2分の1相当の額を高松市が出す、という約束がある。高松市を除く関係市町が1億3千万円を拠出した。

開催回によって助成や補助金を受ける先は異なる。2019年は、文化庁、福武財団などの他、オーストラリア・カウンシル・フォー・ジ・アーツ（Australia Council for the Arts）、ゲーテ・インスティトゥート（Goethe-Institute）、アンスティチュ・フランセ（Institut français）、台湾文化部など、各国政府などが設立した国際文化交流

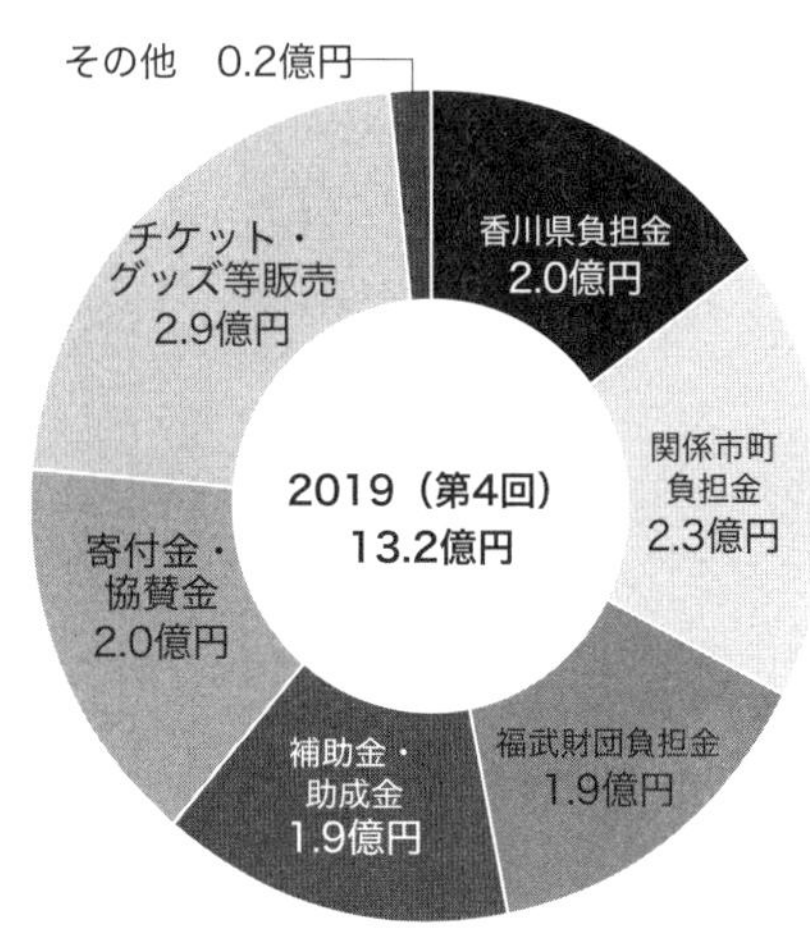

図3・3　2019第4回芸術祭の収入内訳（3カ年）
（出典：2019総括報告より筆者作成）

機関から計1億9千万円の助成を受けた。活動資金集めでも国際化が進む。

企業や個人からの寄付金・協賛金が2億400万円にのぼる。2019年の協賛企業は300社近くに及ぶ。1社1千万円を寄付するパートナー企業から10万円〜500万円の協賛企業まで寄付の幅は広い。地元企業から東京本社の企業まで業種、規模ともにさまざまである。チケット・グッズの販売金は2億9千万円、その他1600万円。総計13億2千万円になった。

収入の公民割合は、県と関係市町の負担金（4億3千万円）が全体の30・8％、福武財団負担金に企業等の寄付金・協賛金を加えた民間財源（3億9千万円）が29・9％、チケット・グッズの販売収入21・8％だった。補助金・助成金（1億9千万円）のなかには国や政府機関の助成もあるが、公募で獲得を競う競争的資金である。また、民間団体の助成メニューもあるのでまったくの公的財源とは言いにくい。公的財源、民間財源はほぼ同割合だった。

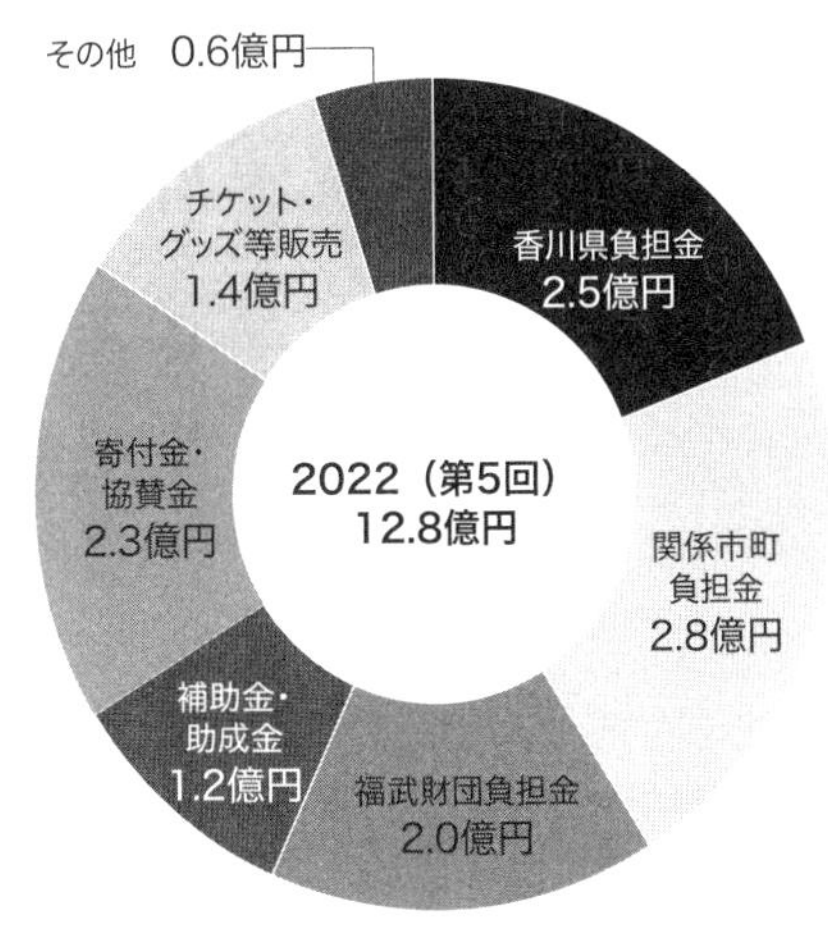

図３・４　2022 第５回芸術祭の収入内訳（３カ年）
（出典：2022 総括報告より筆者作成）

２０２２年第５回芸術祭の収入の内訳は図３・４のとおりである。新型コロナウィルス感染症対策の経費が嵩み、香川県、関係市町の負担金がやや増加した。来場者が減少し、チケット・グッズの売り上げが前回の半分に減少した。補助金・助成金も減少したが、コロナ禍にも関わらず企業からの寄付金・協賛金は増加した。その結果、行政の負担金（５億２千万円）は全体の41％、福武財団負担金に企業等の寄付金・協賛金を加えた民間財源（４億３千万円）が33・8％、チケット・グッズの販売収入（１億４千万円）10・9％、補助金・助成金（１億２千万円）９・５％となった。やや公的負担割合が多いが、大枠では公的財源、民間財源が半々だった。

財源のバランスがよいこと、多様な収入源を持っていることが瀬戸内国際芸術祭の持続可能性を担保している。持続的な運営のためには、広く、多様な資金を集める必要がある。公的機関も財政難を理由に補助金を削減するし、企業は経営環境の変化、経営方針の変更により支援を打ち切ることもある。チケットやグッズ販売などの自立的な収入の増加を目指す努力が欠かせない。

4 ノウハウの蓄積 ――批判、失敗を含め「プロセス」を引き継ぐ

瀬戸内国際芸術祭は2022年で5回を重ねた。スタートから12年が経過したが、必ずしも継続が約束されているわけではない。2022年第5回の開催に携わった瀬戸内国際芸術祭実行委員会事務局の幸田安隆氏（香川県瀬戸内国際芸術祭推進課課長）はいう。「芸術祭が終われば、実績、効果を検証し、早速、次回開催に向けて市町を含めて話し合いを始めます。県、市町に、次回の予算を認めてもらう必要がありますから[注10]」。

実績を重ねてきた瀬戸内国際芸術祭に対する反対意見を聞かない。半面、島を中心に海沿いの開催なので、県全体への波及を望む声がある。そうした要望や意見に耳を傾けながら次回の開催場所、時期、内容等を検討する。

総合プロデューサー、総合ディレクター、それに福武財団、アートフロントギャラリーのスタッフ

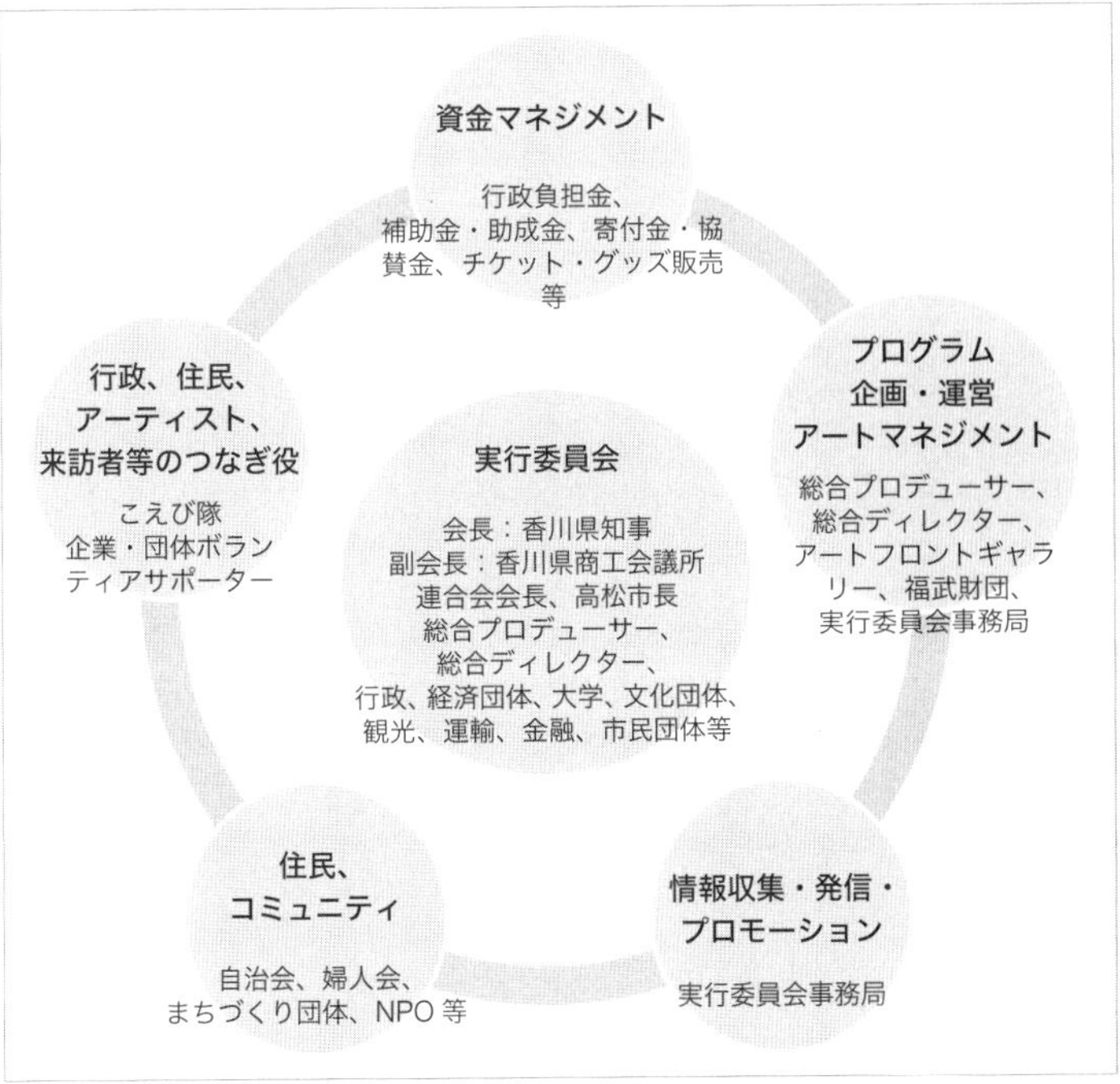

は、12年間に知見と経験を重ねている。こえび隊はボランティア参加者の入れ替わりがあるが、事務局のNPO法人こえびネットワークには常勤スタッフがおり、ここでも運営ノウハウを蓄積している。

行政は人事異動があり、3年ごと（芸術祭ごと）に担当が変わる。スムーズな引き継ぎをするために、3分の1ずつローテーションで異動し、経験者が残る工夫をしている。しかし、行政の場合、瀬戸国際芸術祭のノウハウをどう積み上げていくかは課題である。行政のノウハウの蓄積は、芸術祭の開催経過、運営、実績、失敗、日々起こる問題も含めて書面で詳細に残す方法が取られている。

図3・5　瀬戸内国際芸術祭のマネジメント（筆者作成）

実行委員会の事務局組織は、県、市町に加え、さまざまな組織の人の混成である。管理職は異なる組織出身のメンバーを束ねて、目的を共有し、協働体制をつくらなければならない。日々、即決裁すべきことも多い。幸田氏は、「毎日、協議事項がある。即断しなければなりません。いったん決めても、海上交通など事情に応じて見直すことが多い。重要な案件は10の市町に合意を得る必要があります。会場の12島は、新型コロナウィルス対策をめぐっても事情はさまざまでした」という。

新型コロナウィルス感染症下の第5回芸術祭は、移動、集会、共食など人々の楽しみが厳しく制限された。医療体制が十分でない各島では、どうすれば島民が来場者を迎え入れることができるか。現地に入れない作家がどうすればサイトスペシフィックな作品を制作し、設置できるのか。難題が相次いだ。しかし、パンデミック下のさまざまな対策や試行錯誤も引き継いでいくべき財産になった（図3・5）。

5 まちづくり計画に伴走する

2022年第5回瀬戸内国際芸術祭に向けて、2021年11月9日、東京の日本橋ホール（中央区）と結び、オンラインの企画発表会があった。少し長いが、参加者のその時の発言を紹介する。瀬戸内国際芸術祭の意義が浮き彫りして語られている。

当時の実行委員会会長・浜田前知事の挨拶。「瀬戸内国際芸術祭は、アートを道しるべに瀬戸内海の島々を巡りながら、心癒やされる風景とそこで育まれた文化や暮らしに出合う現代アートの祭典です。これまでの4回の芸術祭では、世界トップレベルのアーティストが瀬戸内の持つ美しい景観、文化、歴史を感じながらアートや建築を展開し、それを求めて世界中から訪れた人々とそこに暮らす人々との新たな出会いが地域の元気につながってきました。5回目も、これまでの在るものを活かし新しい価値を生み出す、サイトスペシフィックなアートプロジェクトを基本としながら、瀬戸内の里海里山の隠れた資源の発掘の発信という観点から、本土側を含めた新たなエリアでの作品展開、イベントの開催を通じて来場者の周遊の促進を図るなど、新たな取り組みを展開したい」。

総合プロデューサー・福武氏の発言。「瀬戸内国際芸術祭は、これまで一貫して、海の復権をテーマに掲げ、過度な近代化、都市への一極集中、経済偏重の社会に対して、地方にこそ個性と魅力あふれる文化が残っており、それをアートの力で再発掘し、顕在化することで地域を元気にすることを目的にしてきました。その活動を通して、現代アートには地方を、そこに住んでいる人生の達人であるお年寄りの方々を元気にする力があることを、おそらく世界で初めて確認することができました。現在、コロナという世界的パンデミックのなかにあって、アートの力、芸術祭の役割はよりいっそう大きな期待が寄せられていると思います。とくに気候変動、環境汚染、貧富の格差といった大きな社会課題がわれわれの前に突きつけられている現在、メッセージ性の高い現代アートに向き合い、美しい自然の中に身を置くことによって、本当の豊かさ、本当の幸せ、本当に持続可能な社会とは何かを改めて深く考えることはたいへん意義のあることと考えています」。

総合ディレクター・北川氏の弁説。「瀬戸内国際芸術祭は作品だけがあればいいわけではありません。作品の力はもちろんあるが、そこに至る過程、それをみなさんにお伝えしていくということに意識を払っています。それが21世紀型の美術だと思います。アーティストは地域の宝、特色を発見する。場所は私有地もあれば公共の場もある。そこで地域との関係ができてきます。コミュニケーションを取りながら作品を制作していく過程で、島のお年寄りの知恵が生きてくる。その時アートは地域の人たちのものになります。アートは写真や映像だけでは伝わらない。船で海を渡る際の感触、空気、風、風景など、五感で感じるものです」。

第5回芸術祭では、祭が開催地各市町のまちづくり計画に伴走する取り組みも発表された。小豆島土庄町(とのしょうちょう)では迷路の周遊性を高める、小豆島町は福田地区と寒霞渓(かんかけい)の回遊ルートを強化する、坂出市は王越地区と与島5島の親和性を強める、丸亀市は日本遺産登録に伴う「石」の活用と本土側(丸亀城)への誘客を図る、多度津町はかつての繁栄を今に伝える街並みを活用し、島と本土の連携を図る、高松市は屋島により多くの客足を誘う ― などである。

この人に聞く

真鍋武紀氏（瀬戸内国際芸術祭実行委員会名誉会長、元香川県知事）

熱意ある人材と適切な役割分担、最後は人と人との信頼関係

1998年9月に香川県知事に就任しました。当時は、バルブ経済が崩壊し、香川県も、バブル期以降続いていた大型事業が重荷になっていました。1997年度末の県債残高が約5072億円に達し、財政が逼迫し始めていました。豊島産業廃棄物問題も解決の道筋が見えず、膠着していました。知事就任後、県財政の立て直しに着手し、豊島問題を解決することを県政の最重要課題に掲げました。財政再建の目処が立ち、豊島産廃問題に決着がついた機会に、県、および瀬戸内海振興の柱を観光・文化に置こうと考えました。

私は大学卒業後、農林省に入省しました。31歳の時に外務省に出向し、ジュネーブ国際機関代表部に赴任してスイス・ジュネーブに3年10ヶ月暮らしました。欧州の人々は、日常的に芸術文化、スポーツを楽しむ術を心得ています。イースターやクリスマスには、旅先でしばしば芸術に親しみます。ぜいたくなものに囲まれることよりは、そうした暮らしこそ、本当の豊かさがある、ということを体感しました。

フィルムコミッションを立ち上げ、「観光交流局」を設置しました。「文化芸術の振興による心豊かで活力あふれる香川づくり条例」を制定しました。日本一面積が小さな香川県で県産品を他

産地と差別化する、そのために県オリジナル品種の開発に力を注ぎました。

豊島の産廃問題に取り掛かっている時に、ベネッセコーポレーション代表取締役会長（当時）の福武總一郎氏に出会いました。福武氏は1992年に直島にベネッセハウス・ミュージアムを開設し、現代アートで直島を元気にするさまざまな活動を進めていました。「それを瀬戸内海の、他の島にも広げたい」という夢を持っておられました。この出会いが瀬戸内国際芸術祭の開催につながりました。福武氏が「新潟の大地の芸術祭のようなアート活動を瀬戸内で実現したい」と北川フラム氏を連れ、県庁に来られたのは2007年です。

当時、県では、若手職員育成のために「職員政策研究」プログラムを実施していました。2004年、若手職員グループから瀬戸内の島々を舞台にする国際美術展「アートアイランドトリエンナーレ」を開催したい、という提言がありました。そのころ、香川県は、経済振興のためにある工場の誘致に力を入れていました。しかし、その案件は、マレーシアと競争し、負けました。工場誘致は、アジア諸国／地域との競争になっていました。資源や労働力を考えれば、一地方自治体の誘致戦には到底勝ち目はない、と痛感しました。これからは工場誘致などのハードの経済振興ではなく、ソフトを使った、とくに芸術文化を活かした地域振興が大切になる、と考えました。そうした経緯があってアートの力で瀬戸内の島々を元気にする瀬戸内国際芸術祭の開催を決断しました。

瀬戸内国際芸術祭は、総合プロデューサーの福武氏、総合ディレクターの北川氏、ボランティアサポーターのこえび隊、そして行政 ― それぞれの役割分担がうまくいった事例です。瀬戸内国際芸術祭を成功させたい、させなければならない、という気持ちが全体を通して一つになりました。互いの信頼関係が強固だったことが、運営面の成功につながりました。

瀬戸内国際芸術祭は、国立公園内での催しです。来場者は船で動きます。環境や安全面で行政が担うべき役割が大きい。そのためにはどういう人材を確保し、どういう仕事をしてもらうか。慎重に思案しました。当初、実行委員会事務局のスタッフは、県庁内で公募し、意欲のある人を募りました。他組織と協働事業する際に、役所が気をつけることは、役人風を吹かせて偉そうなもの言いなどをしないことです。民間の知恵を借りる、という心構えが大切です。現場の人々が気持ちよく働けるように心配りすることです。県の職員には、そうした配慮を求めました。さまざまな許認可事項を含めて丁寧に対応することです。「こういう書類を持ってこい」ではなく、むしろ申請書書きを助けることです。そうしてようやく信頼関係が醸成されます。

行政には人事異動があります。継続性を重視するために、事務局の人員配置は一度に多くを交代することなく、3分の1のローテーションで異動するなどの工夫をしました。経過、課題、失敗をしっかり書類に残し、引き継ぐことが祭事の持続可能性につながります。

瀬戸内国際芸術祭が回数を重ねているのは、美しい島々を舞台にしており、自然の魅力が大きいのですが、都度、新しいことに挑戦してきたことも支えになっています。新しい作品に加え、新しいイベントも多い。おかげでリピーターが増えています。

瀬戸内国際芸術祭が今後、継続し、過疎の島が元気になるためには、各島に新しい地場産業や働く場所をつくる必要があります。それを仕掛けるのは行政の役割です。「祭をやって多くの人が来てくれてよかった」で終わらせない。島に定住を促すためには、どのような支援が必要か。定住促進につながる、したがって生活基盤の強化につながる施策がほしい。それは島の振興を主導する立場にある行政の仕事です。

（2021年7月15日、2022年6月11日　高松市内にて　筆者インタビュー）

4章

瀬戸内国際芸術祭の参加者たち

――来場者／アーティスト／住民／サポーター――

1

瀬戸内国際芸術祭来場者、その半数がリピーター

来場者数の変化

第1回から第5回瀬戸内国際芸術祭までの延べ来場者の推移は図4・1のとおりである。新型コロナウィルス感染下の第5回（2022年）も72万人の来場があった。この間、外国人客も増加している。外国人の割合（来場者アンケート回答者ベース）は、第1回は1・1％にすぎなかったが、回を重ねるごとに増え、第4回は来場者の4分の1を外国人が占めるまでになった。国際芸術祭を名乗るに相応しい芸術祭となった。なお、海外からの渡航が制限された第5回の外国人の割合は1・3％だった（図4・2）。

2022年第5回芸術祭の来場者は、外国人来場者が激減したこともあり、2019年第4回の117万8千人を39％下回った。初回開催以来、最少となった。会場別では、香川県・直島が16万7千人（前回比45％減）で来場者が最も多く、続いて小豆島12万3千人（同34％減）、豊島9万7千人（同32％減）、高松港周辺6万2千人（同39％減）の順だった。新型コロナウィルスの水際対策が緩和された10月中旬以降、外国人来場者の姿が見受けられたが、増加はごく一部にとどまった。

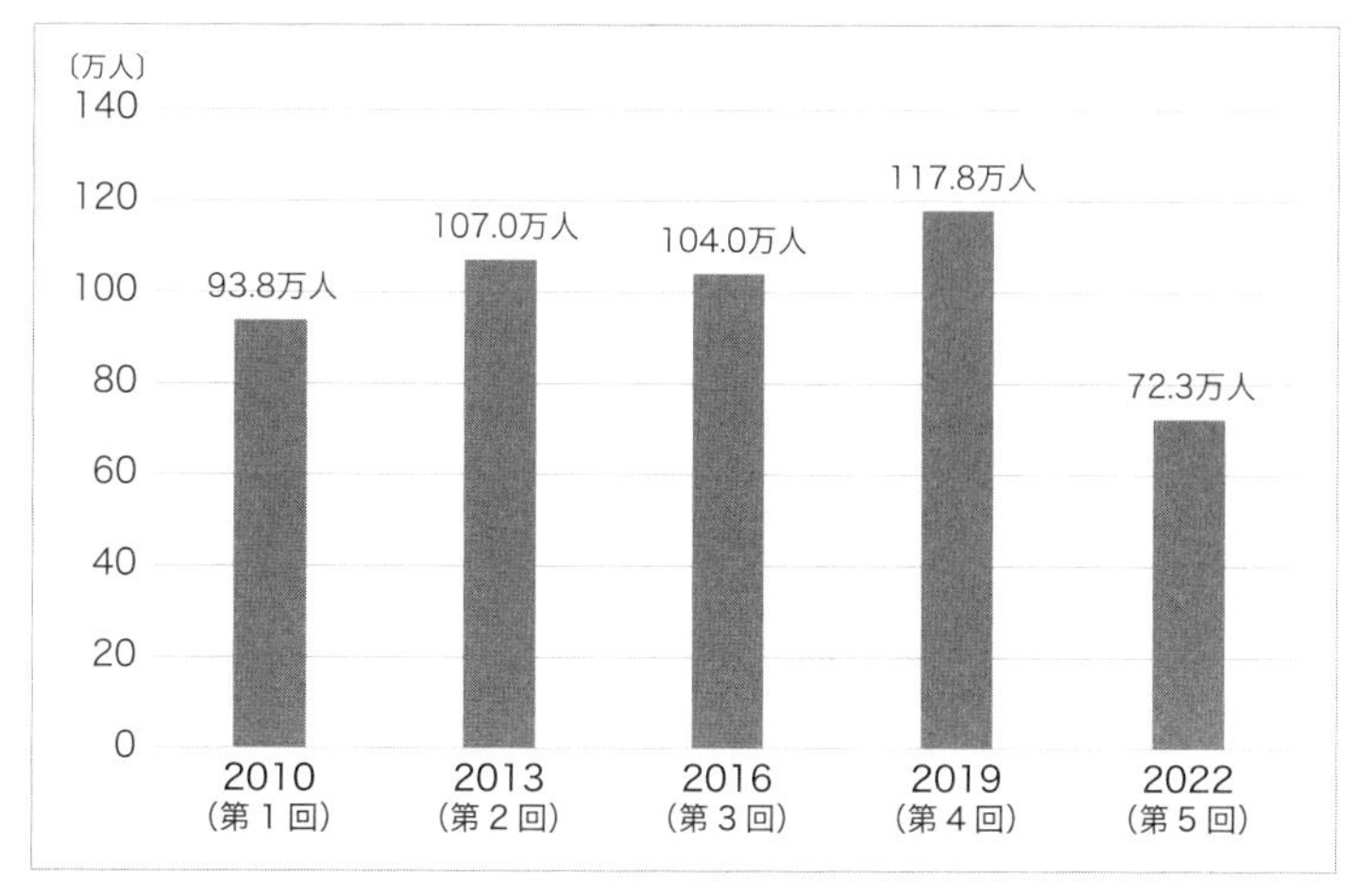

図４・１　来場者数の推移（出典：各回総括報告より筆者作成）

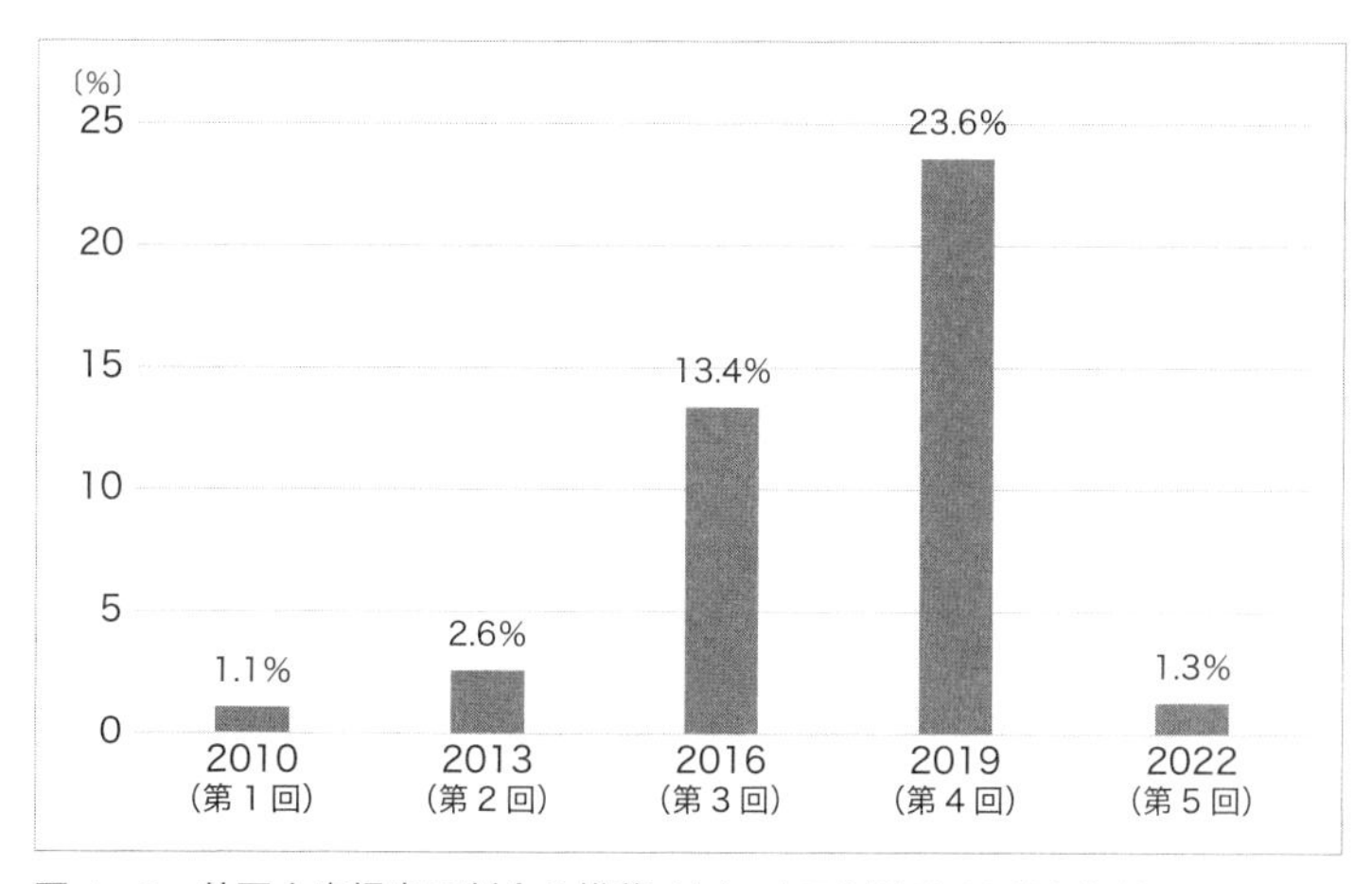

図４・２　外国人来場者の割合の推移（出典：各回総括報告より筆者作成）

第5回では、移動の制限やイベント時の感染防止対策が行われるなか、来場者の大幅な減少はやむを得なかった。実行委員会事務局の香川県は、「大規模な感染拡大や混乱もなく、長い会期を完了できた。そのことは次につながる財産になる」[注1]と総括している。

高い再訪意向

実行委員会は、来場者を対象にアンケート調査を実施し、芸術祭に対する満足度や再訪意向を調べている。

芸術祭に対する評価は総じて高い。第1回2010年（N＝1万1476）の調査では、「作品について」の評価は、良い（65％）、まあまあ良い（28％）を合計すると約94％だった。芸術祭全体の総合評価も、良い、まあ良いが計91％に達した。

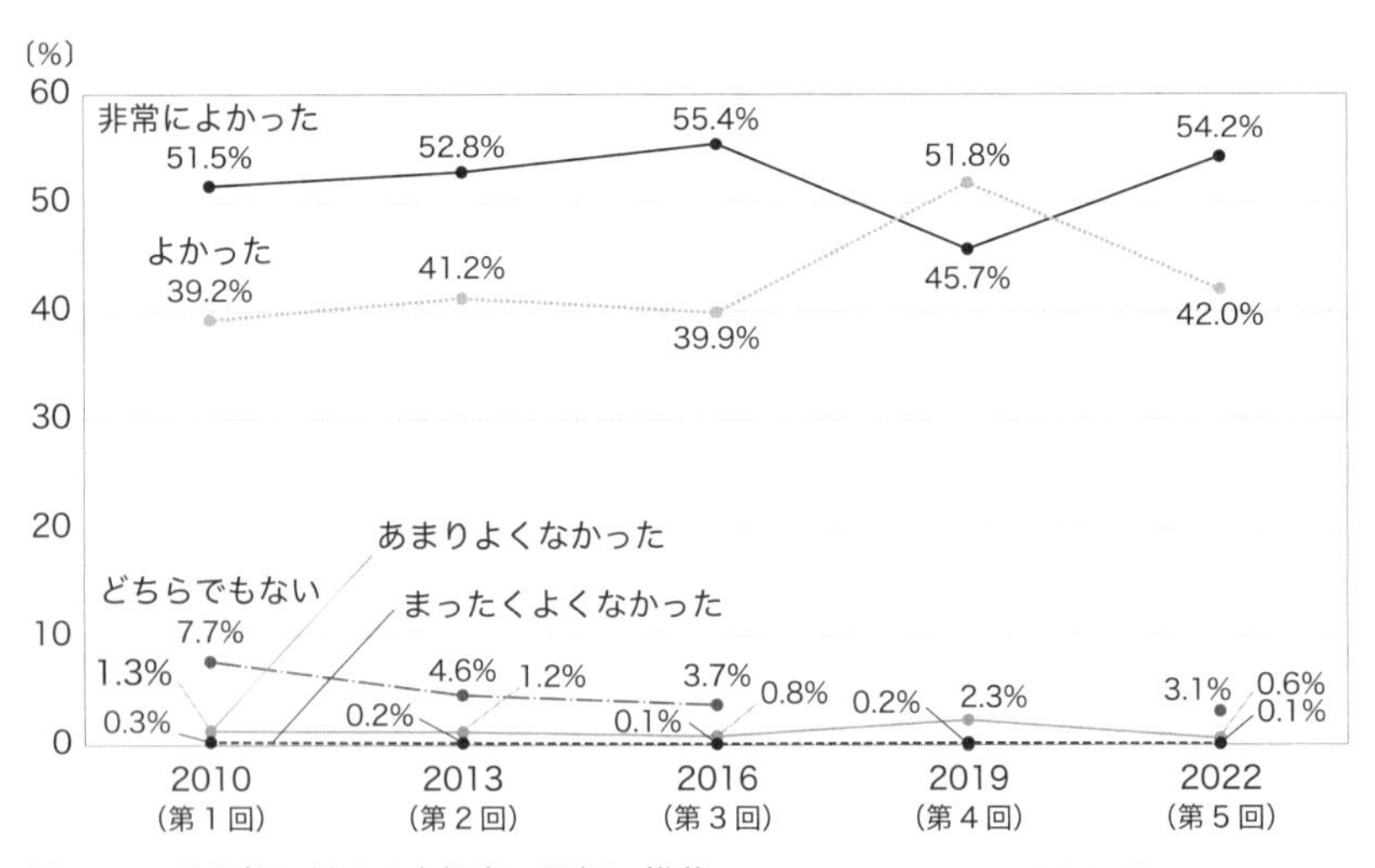

図４・３　芸術祭に対する来場者の評価の推移（出典：各回総括報告より筆者作成）
注：年によってアンケートの選択肢の言葉は微妙に異なる。2019年は「どちらでもない」にあたる選択肢がない。

２回目以降も芸術祭に対する総合評価は高い。第２回（N＝１万７２９７）は、とても良いとまあ良いが計94％。第３回（N＝１万５３３６）は、とても良いとまあ良いが計95％。第４回（N＝６８５７）も、非常によかった、よかったが計98％に達した。新型コロナウィルス感染下で行われた第５回（N＝１万２４６２）でも、非常によかった、よかったという評価が計96％であった（図４・３）。

アンケート調査では、来場者の再訪意欲の高さも示された。そして実際に来場者のリピーター率が高い。第２回では、リピーターが全体の32％、以降も増えつづけ、第５回は55％となっている（図４・４）。

次回の芸術祭に、「ぜひ来たい」「来たい」と答えた人の割合も、第１回が76％、第２回以降は80％を超え、第５回では92％に達した（図４・５）。リピーター来場者の再訪意欲はさらに高い。２０１６年のアンケート調査では、リピーター来場者（N＝５５２１）は、次

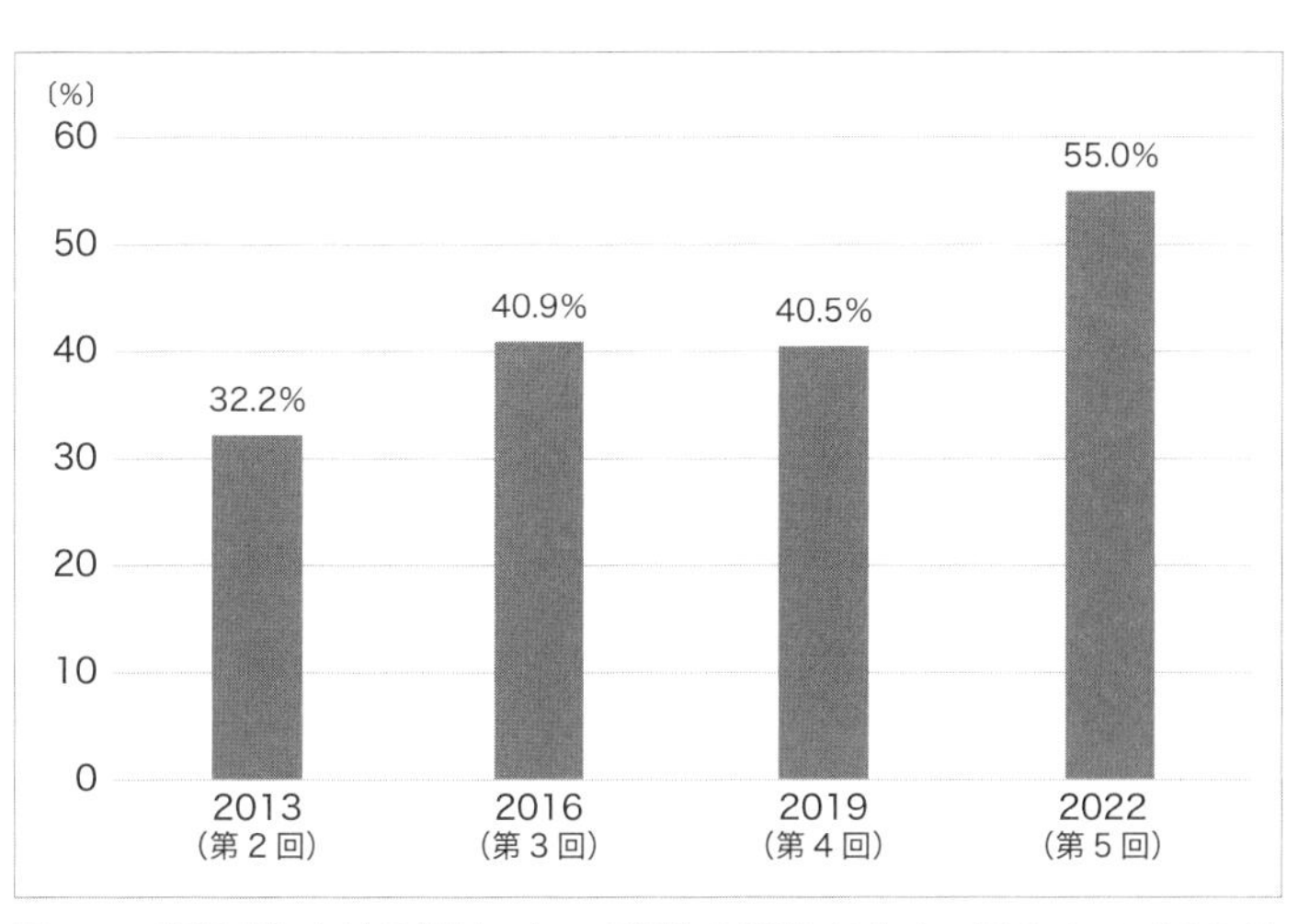

図4･4　来場者におけるリピーターの割合の推移（出典：各回総括報告より筆者作成）

回も「ぜひ来たい」68％（全体では51％）、「来たい」23％（全体では31％）と回答し、計92％（全体82％）が再訪意欲を示していた。瀬戸内国際芸術祭は、回を重ねるごとにリピーターを増やし、来場者の半数が固定的なファンに育っている。芸術祭として驚異的な話である。

なぜ繰り返し訪れるのか

芸術祭に来訪するのは何が目的か。何を評価しているのか。香川大学教授・原直行氏および共同研究者らが、豊島を対象に継続的な来場者調査を重ねている。来場者の属性、訪問目的、訪問施設・場所、印象に残っている施設・場所、地域資源の認知、滞在満足度、再訪意向を聞いている。

2013年の調査（N＝367）では、来場者の3分の2が初めて豊島を訪問し、訪問目的は「アート作品」（回答数339：複数回答 以下同様）、次に「建築」（137）、以

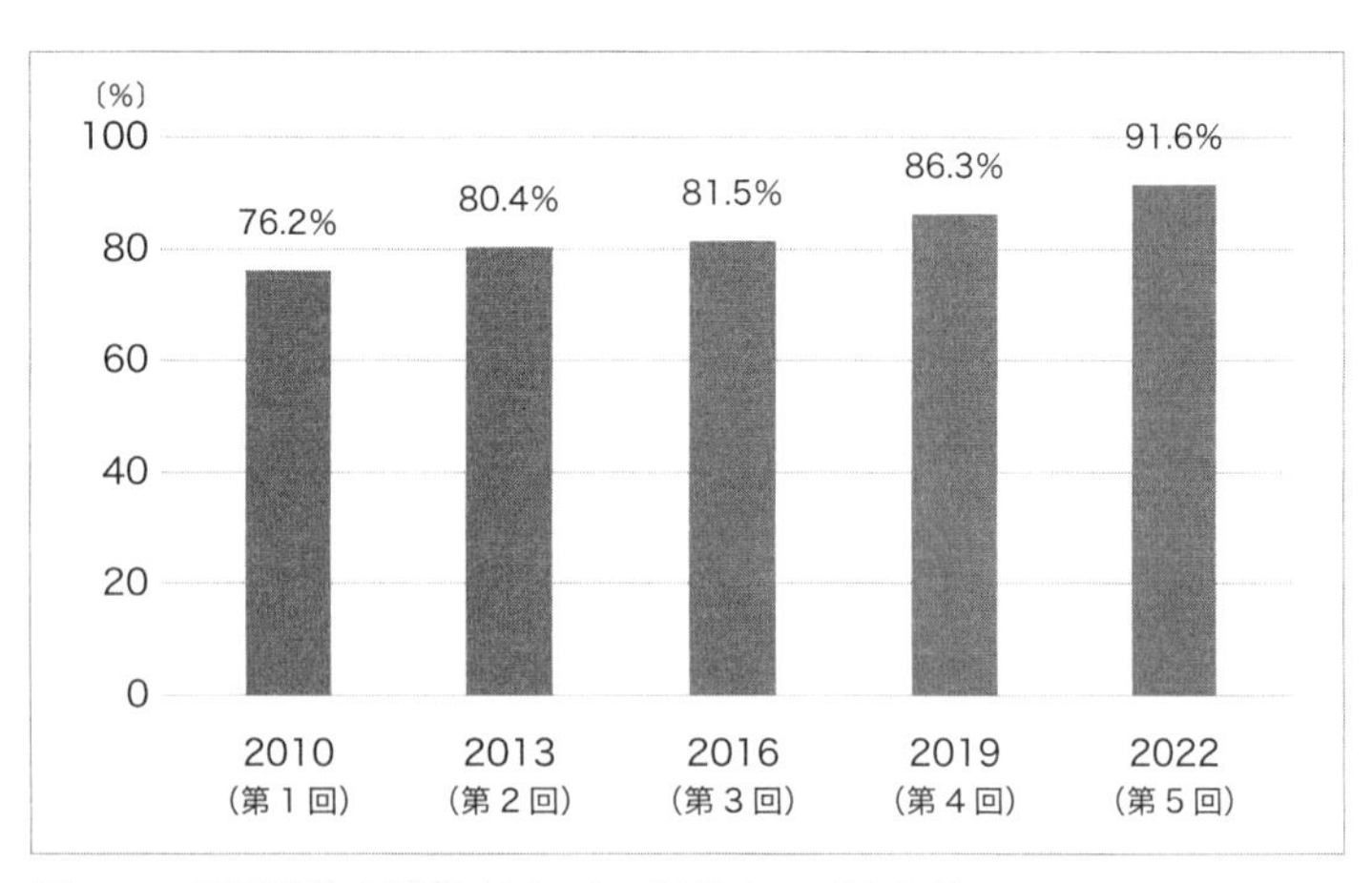

図4・5　再訪意欲の推移（出典：各回総括報告より筆者作成）
注：次回芸術祭に「ぜひ来たい」「来たい」の合計。2010年は「ぜひ来たい」の選択肢がなかったので「来たい」の回答数割合。

下「芸術祭のパスポートがあった」(97)、「島の自然」(78)、「食事」(複数回答:回答数28)の順だった。アンケート回答者で再訪意欲のある回答者に再訪目的を尋ねている。「ぜひまた訪れたい」人の再訪目的は「アート」「建築」「島の自然」「食事」。「機会があれば訪れてもいい」人では、「アート」「島の自然」「建築」「食事」と続く。当初の来場目的と比較すると、再訪の場合、「島の自然を見に」の回答が高くなる。「島の人との交流」も、当初よりも再訪時でやや増加する。[注2]

2019年の調査(N=日本人394、外国人121)では、日本人の訪問目的は「瀬戸内国際芸術祭を見る・参加する」(280)、「アート作品(美術館)を観る」(222)、「自然景観を見る」(141)、「自然の豊かさを体験する」(54)、「美味しいものを食べる」(53)の順番だった。同じ質問を外国人にしているが、訪問目的は「アート作品」「瀬戸内国際芸術祭」「自然景観」「食事」の順だった。外国人は食への関心がやや高いが、瀬戸内国際芸術祭と自然が、重要な訪問目的になっていることは共通している。[注3]

瀬戸内国際芸術祭は、12島と2港が会場である。多くの国/地域から多様な作品が出展される。イベントがある。1回の訪問では回り切れない。芸術祭開催中に複数回訪れる人がいる。新しい島への訪問や、まだ見ぬ作品の鑑賞を、次の芸術祭に計画する人もいる。

恒久設置される作品がある。新しいテーマ、新しい作品を展示することで最先端のアートシーンを体験する国際芸術祭が多いが、回を重ねても出合える作品があるのは、そこに異なる魅力を育む。その場所を久しぶりに訪れると、懐かしい「友人」に会うような安堵感がある。風雨に耐え、作品は色を変え、質感を変える。錆が浮かび、それが作品の重量感を増す。作品の裂け目から草が生えていることもある。時の移ろいを実感できるのは、恒久作品ならではである。

瀬戸内海の景観、島の佇まいは、季節や1日の時間帯によって異なる。温度、湿度、風、光が違い、島影が色を変え、趣を変える。瀬戸内国際芸術祭にリピーターが多いのは、何度訪れても、新しい発見があるためである。そこに懐かしい思い出が詰まる。

2 常連アーティストの心を惹きつける場所／人々
——島に眠る物語を作品に再編集する

地元とつながっていくアーティスト

瀬戸内国際芸術祭に出展している作家には、複数回参加している作家が多い。台湾の王文志（ワン・ウェンチー）氏は、第1回芸術祭から小豆島の中山（なかやま）地区で竹を使った巨大な建築作品を出展している。例年、台湾から15人ほどの制作チームを引き連れ、島で制作に取り掛かる。4月春会期から作品を公開するのが常だったが、第5回は、島民やチームのスタッフに感染が広がるのを心配し、入国を遅らせ、夏会期からの公開になった。

王氏は芸術祭への最初の参加に際し、小豆島を視察した。その時、島に対する島民の熱い思いや愛情に感銘を受けて、小豆島を作品の出展場所に決めた。毎回、中山地区に作品を展示している。そのため同地区は、王氏にとっても故郷のような場所になっている。作品の制作に住民が重要な役割を果たす。王氏は土地の人々に感謝し、信頼を寄せている。王氏の作品に必要な竹は、地元の人々が竹林から切り出す。その数4千～5千本である。小枝を落として準備し、王氏の来島を待つ。

作品の完成を祝うテープカットも、作品を解体撤去する別れのセレモニーも、地元住民とともにある。王氏にインタビューをした際には、「世界のどこにも、これほど地元とつながっている芸術祭はない。自分にとって一番大事なことは、島の人が喜ぶことだ」と言い切った。そ

台湾の作家・王文志氏（筆者撮影）

して当時の小豆島町長に教えてもらったという「骨まで愛して」を日本語で歌い、歓笑した。[注4]

青木野枝氏は、鉄板を溶断し切り抜いた小さなピースを、丁寧に溶接してつなぎ合わせる彫刻作品を手がける。2010年、空に粒子が舞うかのように円形の彫刻をつなぎ合わせ、それが貯水タンクを囲む作品「空の粒子／唐櫃（からと）」を、豊島の唐櫃に設置した。彫刻のなかで耳をすますと、微かに水が流れる音が響く。木々の緑、眼下には棚田や海が広がる。水や風の音を五感で楽しむ彫刻である。第2回芸術祭では、水源の鉄扉やベンチを新たに制作した。

檀山（だんやま）のふもとにある唐櫃の清水は、湧き水を花こう岩の石壁で一度せき止める。最上部の貯水槽から三つの小水槽と大水槽に流す仕組みである。それぞれの水槽は、野菜洗い、洗濯物のすすぎ用と役割が決まっている。地域の女性が井戸端会議を楽しむ場所になっていた。水道の設置や洗濯機の登場とともに、女性たちの洗濯風景は見られなくなったが、青木氏の作品は、コミュニティにかつてのにぎわいを取り戻す作品である。

大島には、2007年から島を訪ね、入所者と交流を深めながら島の内外とのつながりを紡ぎ出した「やさしい美術プロジェクト」（高橋伸行ディレクター並びに名古屋造形大学学生、卒業生有志）がある。入所者の記憶の断片を収集した企画展や、入所者が講師を務めるワークショップ「名人講座」、大島で取れた野菜や果物を味わえる「カフェ・シヨル」などを企画、運営してきた。その多くは、今に引き継がれている。

2013年沙弥島（しゃみじま）に設置された五十嵐靖晃氏の「そらあみ」は、瀬戸大橋でつながる沙弥島、瀬居（せい）

五十嵐靖晃「そらあみ〈島巡り〉」（筆者撮影）
瀬戸内国際芸術祭 2019 では、塩飽諸島の島々で漁網を編むワークショップを開催。漁師や地元の人たちが一緒に編んだ網をつないだ。

島、与島、岩黒島、櫃石島で漁網を編むワークショップを重ね、地元漁師と住民、ボランティアが協働した作品である。漁網を編むことで人と人をつなぎ、記憶をつなぐ。完成した網の目を通して土地の風景をとらえ直す目論みである。２０１６年にも、瀬戸大橋でつながる与島５島でワークショップを開催した。秋会期では本島に渡り、本島、牛島、広島、手島、小手島でつくられた漁網を連結した。さらに２０１９年第４回芸術祭には、西の高見島、佐柳島、志々島、粟島でつくられた漁網を結びつけた。そうやって島から島へ海のつながりを編み広げた。

高見島では２０１３年、２０１６年に除虫菊をテーマにした作品「除虫菊の家」（内田晴之氏＋小川文子氏／田辺桂氏）が展開された。２０１９年第４回芸術祭では内田晴之氏／小枝繁昭氏が空き家を上下に分けて「除虫菊の家／静かに過ぎてゆく」「除虫菊の家／はなのこえ・こころのいろ」を展示した。かつての高見島は、春の終わりに島が白雪に覆われたようになるほど除虫菊の栽培が盛んだった。２０１３年の芸術祭を契機に、高見島応援ボランティアサポーター「さざえ隊」が結成された。以来、除虫菊を島の数ヶ所に植え、手入れをしている。除虫菊ゆかりの作品は、島の人にとっても訪れる人にとっても、高見島の生業を改めて思い起こす機会となっている。

本島には、香川県で唯一重要伝統的建造物群保存地区に指定された地域がある。平安時代には、藤原摂関家の荘園があった。江戸時代には、天領として瀬戸内海の統治に重要な役割を果たした塩飽（しわく）の玄関港・笠島地区である。北前船で栄えた港町の歴史と文化が残る。宮大工として名をはせた塩飽大工の拠点でもある。集落内の道路は複雑な鍵の手状で、かつて水軍の拠点だった時代の面影を残す。本瓦葺きに漆喰塗りの白壁や、なまこ壁に千本格子の窓をあしらった建物が建ち並ぶ。

芸術祭では、笠島の保存地区にある空き家を使った作品が展示された。２０１９年第４回では、タイ出身のアーティスト、ピナリー・サンピタック氏が、家主が残した雑具と、タイと日本の伝統工芸品を駆使し、島の人々と協働しながら作品「笠島 ― 黒と赤の家」を制作した。ポーランド出身のアリシア・クヴァーデ氏は、塩飽大工の建てた建物の柱や梁、畳や建具の持つ均整を利用して、残された備品も使用して、インスタレーション「レボリューション／ワールドラインズ」を展開した。実像と虚像が織りなす空間が演出された。

1985年、笠島地区は重要伝統的建造物群保存地区に指定された。当初から、住民の高齢化や空き家の増加が指摘されていた。ところが瀬戸内国際芸術祭の会場となることで来場者が増加し、地区住民が笠島地区の持つ価値や魅力を再発見する機会になっている。[注5]

芸術祭で展開されているアートは、その場所で暮らす人々の生活や生業、それに加えて失われてしまったものを可視化する。アーティストが現場に入り、自然や空気、建物や歴史、そして形のあるもの、ないものと対峙する。島の人と対話し、協働しながら作品を生み出す。その営みは、アーティストをエンカレッジする。それは国を越え、言葉と生活習慣の壁を超える。

この人に聞く

王文志氏（台湾）

作品がなくなってもつながりが続く芸術祭

私と日本の最初の関わりは、2009年新潟市で開催された「水と土の芸術祭」に出展したことです。そこで北川フラムさんに出会いました。瀬戸内国際芸術祭の計画を聞き、趣旨に共鳴し、参加を決めました。

その後、小豆島を案内してもらいました。5ヶ所くらい回りました。最初に案内してもらったのが、農村歌舞伎舞台がある中山の春日神社でした。その時、地元の人に小豆島の歴史や文化などさまざまな話を伺いました。島の人の地元への思い、愛情にとても感銘を受けました。ぜひ、この地で何かをつくりたい、この場所と「対話をしたい」と思いました。

第1回の作品は「小豆島の家」です。最初にこの地に来て、中山千枚田の棚田を見たとき、本当に素晴らしい景観だと思いました。地元の人々に、自分たちが暮らす土地がどれほど素晴らしいか、どれほど美しいか、わかってほしかったのです。

島の人に話を伺ったとき、400余年前、大阪城を築くために小豆島の石がずいぶん切り出されたと聞きました。小豆島の良質な石はほとんど持って行かれてしまった、と残念そうでした。大切な石がなくなっても、ここは本当に素晴らしいものが残っています。この島はきれいです、と訴えたかったのです。

第2回は「小豆島の光」でした。瀬戸内国際芸術祭の来場者が島に来るときは、日帰りが多いのですが、できれば泊まってほしいと思いました。

人がいるところには、光が必要です。「小豆島の光」では、夜間にライトアップをしたこともあり、夜の作品を見にくる来場者が増えました。宿泊する人も多かったようです。

その後、「小豆島の夢」「小豆島の恋」という作品を経て、今回は原点に戻って「ゼロ」をテーマにしました。世界がコロナ・パンデミックで受けた困難をリセットし、再出発する、という意味を込めました。2022年2月には、ロシアのウクライナ侵攻がありました。いろんな困難な

王文志（台湾）「ゼロ」（筆者撮影）
地元の人たちの協力で集められた竹を使ってつくられた直径15メートルの球体。中山の田園風景と見事に調和している。

出来事がありますが、人間はもう一度最初に戻り、「ゼロ」から始めなければいけない、と思いました。人間にとって何が大事なのか、ゼロに戻る。原点に帰り、そこで考える。「すべての人間の再出発点」というのが、今回の作品に込めた思いです。

タイトルは魂を表す「霊」からも着想しました。「霊」は「れい」と読み、ゼロの「零」と同じ音です。人間には、もともと魂が宿っています。本来、人が持っている魂、本来の心に戻らな

王文志（台湾）「ゼロ」（内部）（筆者撮影）
内部には、陽光が差し込み、風が通り抜ける。球体に開けられた窓からは、春日神社境内の「中山農村歌舞伎舞台」が見える。

いといけないのではないか。作品をつくるときは、母親の胎内にいるような癒やしや原始性を大切にしています。そういう意味も込めて「ゼロ」としました。
「ゼロ」は直径15メートルほどの球体の空間を主体に、二つの曲線を描くトンネル状の出入り口を備えています。球体の中から春日神社境内の「中山の舞台」が正面に見えるように三角窓を開けました。小豆島で最初に出合った場所――私の瀬戸内国際芸術祭の原点にもう一度語りかけるためです。

私は竹を使って巨大な作品をつくりますが、竹林に生まれ育った私にとって竹はとても身近な存在です。竹は固そうに見えますが、細くすればとても柔軟性があります。思い通りに自由に工夫できます。固いところから柔らかい部分まであっておもしろい素材です。作品では、ゆったりした時間の流れや、竹の編み目から入る繊細な光を感じてもらいたいと思いました。

毎回、4千～5千本くらいの竹を使います。いつも地元の人が切り出してくださいます。作品のある中山地区や、隣の肥土山（ひとやま）地区の人々が集めてくれます。作品の設置場所は中山ですが、制作の際には肥土山に滞在します。二つの集落にはたいへんお世話になっています。

アーティストが同じ場所に出展し続けるのは難しいことです。私にも葛藤がありました。港に出展しようか、と思ったこともありました。でも、一番大事なことは、島の人に喜んでもらうことです。地元の人が材料の竹を切り出してくれる。そして作品が出来あがるとだれよりも喜んでくれる。だからこの同じ場所に出展し続けようと思うのです。私自身がこの土地と一体になってきました。6回目も、きっとここに出展します。

作品のある場所のすぐ上に「こまめ食堂」があります。こまめ食堂から作品がよく見えます。私のチームが芸術祭の作品をつくっていると、こまめ食堂が毎日3時におやつを届けてくれます。ずっとそうです。もう10年以上です。台湾でも、イベントが終われば「はい、さようなら」です。あとには何も残らない。ここは違います。芸術祭は終わっても、その後もつながっています。

棚田と「ゼロ」（筆者撮影）
「こまめ食堂」からは、中山集落の千枚田と呼ばれる棚田とともに、王文志氏の作品が一望できる。

店主の立花さんに話を聞いたことがあります。芸術祭は3年に1回しかないのに、なぜここで店をしているのか。芸術祭のない期間、営業をどうしているのか。芸術祭の開催期間以外も店は開いている、とのことでした。

「王さんの作品が撤去された後も、来客があります。客は棚田を眺め、作品があった場所を眺め、『あそこに素敵な作品があったね。ここの景色はいいなあ』とおしゃべりしながら食事をしています」と話していました。だから店が続く。

作品がなくても思い出は残る。島民にも、来場者にも記憶が残ります。それは作家にとってもすごく嬉しい。そうして土地と人々の間のつながりが続きます。関係が育ちます。前回の作品は「恋」でした。小豆島と恋に落ちています。

「生きてる限りはどこまでも…」という歌（「骨まで愛して」）を、当時の小豆島町長に教えてもらいました。日本語で歌えます。瀬戸内国際芸術祭のようなアートイベントは、世界中探してもないと思います。瀬戸内海の12の島々にさまざまな作品が並ぶ。その壮大な規模も、比類ないものです。私の瀬戸内国際芸術祭は、島の人とのコミュニケーションです。人間は言葉が通じなくても、きっとわかり合えます。

（2022年7月31日　小豆島にて　筆者インタビュー）

3 住民の関わり方が変わる
――受動から能動へ

住民の評価

過去5回の芸術祭を、島の住民はどのように評価しているか。瀬戸内国際芸術祭実行委員会は第1回芸術祭会期後に、作品を設置した島の住民を対象にアンケート調査（N＝513）をしている。開催前の芸術祭による地域活性化に対する期待と、開催後に実際に地域活性化に役に立ったかを聞いた回答を比較すると、開催前には、期待度が69％に対し、開催後は82％にアップした。（図4・6）自分の地区に作品が設置されたことも、「たいへん良かった」43％、「まあまあ良かっ

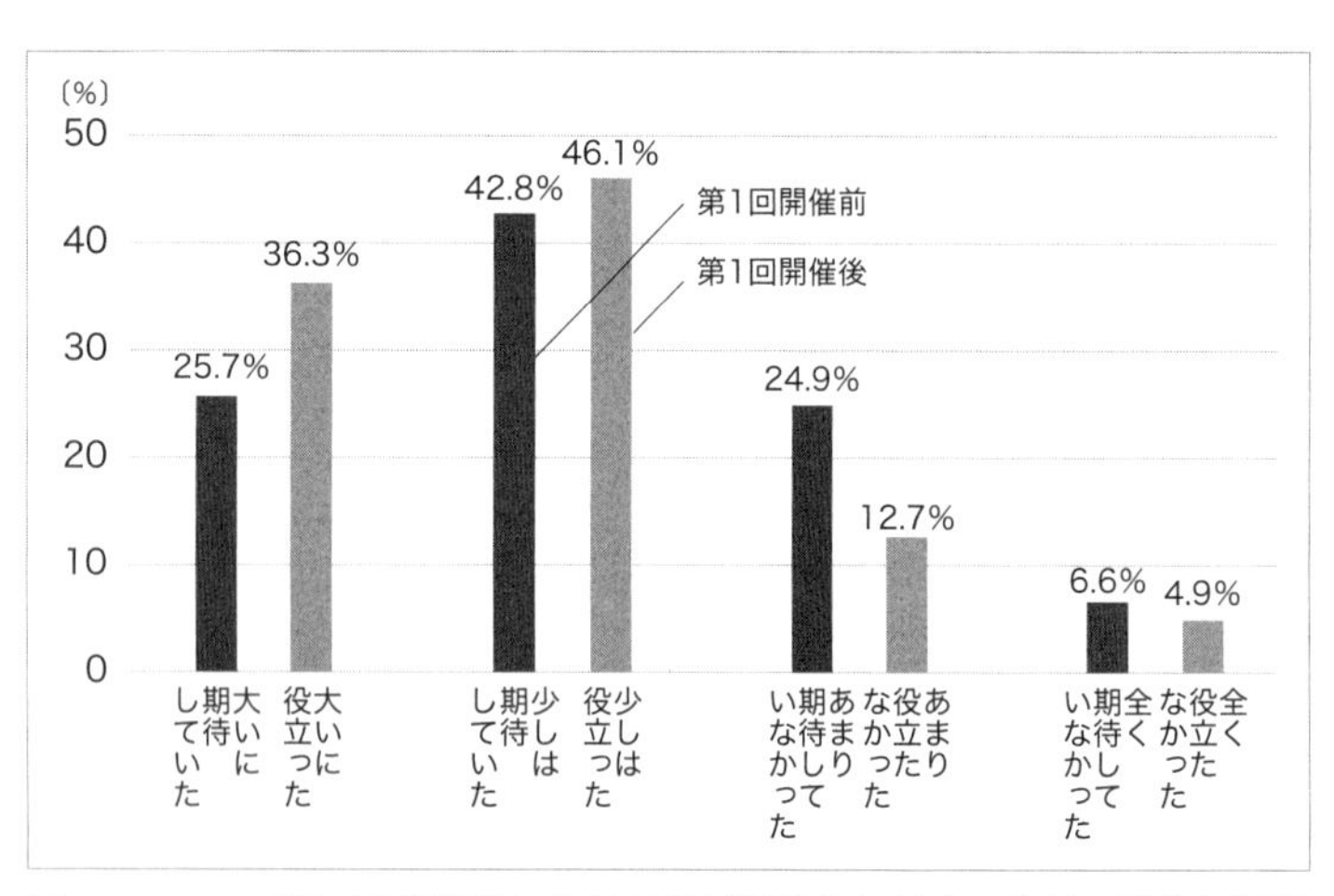

図4・6　2010第1回芸術祭における地域活性化に対する住民の期待と評価
（出典：2010総括報告より筆者作成）

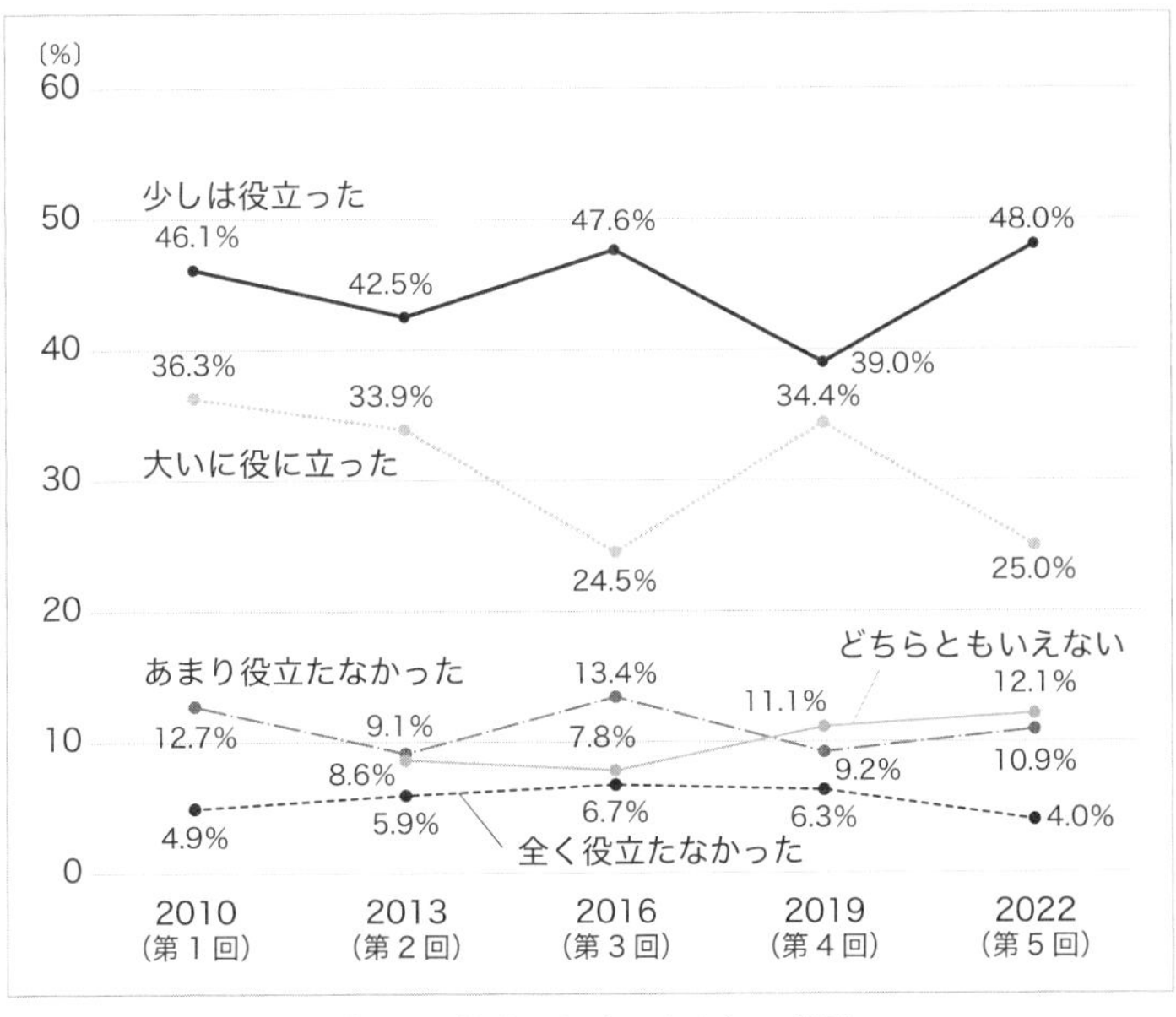

図4・7　住民の評価〔地域活性化に役立ったか〕の推移
(出典：各回総括報告より筆者作成)
注：2010年には「どちらともいえない」にあたる選択肢がない。

た」45％と、88％の人が評価した。

「芸術祭は成功だったか」という質問に対しては、「大成功だった」49％、「まあまあ成功だった」45％と、94％の島民が評価し、次回も「ぜひ開催して欲しい」46％、「どちらかといえば開催して欲しい」38％と、84％が次回開催に肯定的だ。一方、来場者のマナーについて20％が「良くなかった」と回答し、33％が「芸術祭の開催で、日常生活に迷惑や負担を感じた」と回答している。

住民の評価（地域活性化に役立ったか、次回も開催してほしいか）の推移は、図4・7、図4・8のとおりである。

実行委員会は、会期終了直後からすべての島で自治会をはじめ島民との意見交換会を開催した。予想をはるかに上回る多くの

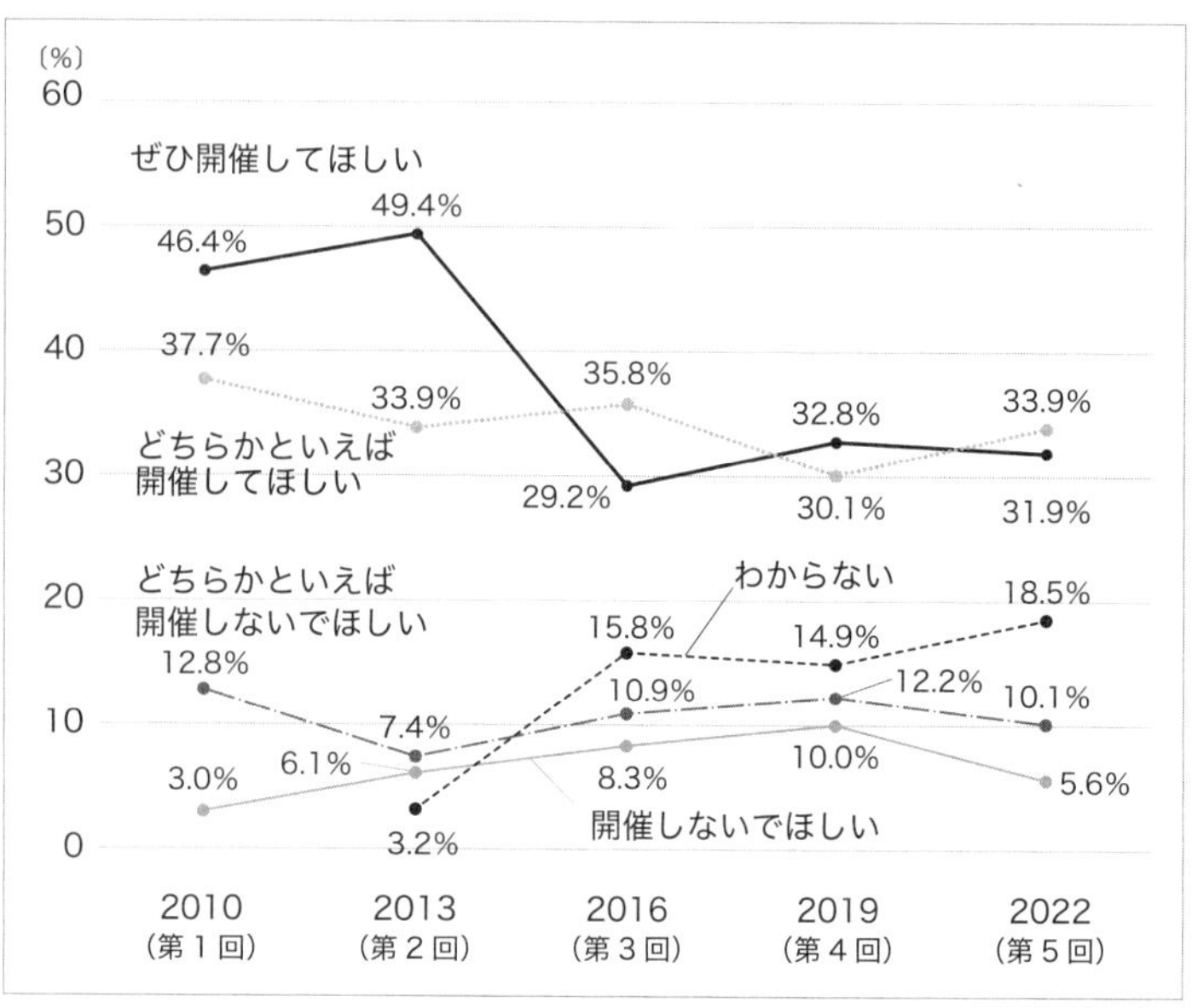

図4・8　住民の評価〔次回も開催してほしいか〕の推移
(出典：各回総括報告より筆者作成)
注：2010年には「わからない」にあたる選択肢がない。

若い人が島を訪れ、島民は来訪した若者との交流を楽しみ、元気をもらった、島を多くの人に知ってもらったことを喜んでいた。肯定的な意見は以下のとおりである。

- 島民の関心が高く、掃除の共同作業に多くの島民が集まった（直島）
- 島民と観光客の間でコミュニケーションが多く生まれた（直島）
- 都会の若い人と話ができ、お年寄りが元気をもらった（豊島）
- 島がこれまでにない雰囲気（若さ、活気、刺激、日々の変化があった）に包まれていた（豊島）
- 改めて豊島の良さを全国の人に知ってもらえた（豊島）
- 島で飲食をする人も多く、島の経済にある程度貢献があった（豊島）

- 島がこれほどにぎわい活気づいたことはこれまでになく、元気をもらった（女木島）
- アーティスト、こえび隊とつながりができた。これからもこのつながりを大切にしたい（男木島）
- 宿に迷惑がかからない程度に若い人を泊め、酒を飲みながら話をするのが楽しかった（男木島）
- 来場者に声をかけ、案内人になった島民が多くいた（男木島）
- 小豆島に新しい風が吹いた。小豆島の観光客の層が変わった（小豆島）
- 大島には子どもがいない。子どもと一緒の家族連れが大勢来てくれたことに感激した（大島）
- 大勢の人にハンセン病の施設を知ってもらったことが良かった（大島）
- 3年先の開催が楽しみである。また協力したい（犬島）
- 多くの人に犬島を知ってもらったことが一番嬉しい（犬島）

課題や次回開催に対する意見もあった。

- 会期中は大変な混雑で、泊まるところも、食べるところもないという状況だった（直島）
- 3年後では芸術祭の記憶が薄れてしまう。中間点で別のイベントをすると祭のインパクトが残るのではないか（直島）
- 105日間、休みがなく疲れた。次回は会期中に休みが必要である（豊島）
- 田舎料理が食べたいという人が多かった。次回開催時の課題になる（豊島）
- 作家やこえび隊とのつながりを、今後もずっと持ち続けていく仕組みを考えなければならない（豊島）

- 7月、8月は若い人が多くマナーが良かった。ゴミも持ち帰っていた。秋になると客層が変わってマナーが悪くなった（女木島）
- 島にお金が落ちる仕組みがない。島内に宿泊施設を作るなどを考えなければならない（女木島）
- 自治会が当番制で交流館で「たこめし」を販売した。105日間続けるのは大変だったが、蛸を獲る人、作る人、売る人の協力があったから成功した（男木島）

第1回は、105日間連続で開催された。島民の間に「疲れた」という意見が多かった。第2回以降は、春、夏、秋と会期を3回に分けて実施するようになった。集中開催の島民負担を軽減すると同時に、来場者に瀬戸内の春、夏、秋を楽しんでもらう狙いもあった。

芸術祭への住民の参画が重要

小豆島の島民の間に、「芸術祭に関わった人は大変な思いをしたが、全体として良かったと感じている。半面、関わっていない人も多く、そうした人は芸術祭にマイナスの印象を持った」という意見があった。芸術祭への参加、関与の度合いによって事業に対する評価が真逆に変わる、という指摘である。大地の芸術祭をめぐるソーシャルキャピタル調査でも同じ傾向が見られた。

地域型芸術祭が住民の考え方にどのような影響を及ぼすかを定量調査し、分析した研究がある。勝村文子他（2008）は、大地の芸術祭の舞台である新潟県妻有地域で住民アンケート調査を実施し、

その結果、

① 地域住民は来場者との交流よりもアーティストやボランティアと協働し、制作に携わった場面でより大きな影響を受ける

② 高齢者も新たな人的ネットワークを獲得している

③ 協力した人は新しい知り合いをつくり、地域に好ましい変化を感じている

といった評価を得ている。注6

住民が芸術祭に協力すると、他の地域行事への参加が増える。芸術祭が日々の生活でも参加や協力、地域への愛着の増加などの副次効果を生み出している。

第1章で紹介したように、鷲見（２０１４）は、２００６年と２０１２年の大地の芸術祭の開催に合わせて住民アンケート調査をし、地域活性化の効果を「ソーシャルキャピタル」という概念を用いて検証した。芸術祭の運営に協力した住民ほど人々との交流が促進された、高齢者の活躍を促進した、他地域の人や異なる考えを受け入れ、連携する土壌が構築された、集落間および住民間の結束が強まった――などを明らかにしている。

瀬戸内国際芸術祭に対する住民の評価については、室井（２０１３）、原（２０２１）の研究がある。室井（２０１３）は、２００９年の芸術祭前に豊島と直島で、芸術祭後の２０１１年には男木島、女木島、豊島、直島で住民アンケート調査をしている。事前調査では、

① 島民発意の内発的なイベントではなく、それでも島に協力を求められたために住民の間に混乱

があった

②　島の生活課題の優先順位は医療や交通、教育や産業にあり、文化や交流を重視する芸術祭に対する関心がそれほど高くなかった

などが指摘された。

芸術祭後の調査では、

①　アートプロジェクトは地域の文化的自負を涵養し、対外的に社会的つながりを創出する地域づくりの効果を期待できる

②　芸術祭の住民評価は、芸術祭で知り合った人がいるか、芸術祭に関与したかで左右され、それが次回の開催意向にも影響する

③　住民評価に影響を及ぼしたのは、来場者数ではなく、アーティストやボランティアとの継続的な関わりだった

④　住民とボランティアの交流が芸術祭閉幕後も継続し、地域行事の支援に幅を広げ、持続的な支援関係が築かれたことは芸術祭の成果である

といった効果を導き出している。

課題としては、

①　事業評価では、マクロの地域経済的効果（来場者数、経済効果、メディア露出度等）に対する関心が突出していた

②定住対策面では、事業効果は限定的だった

などの指摘があった。[注7]

原（2021）は、第1回芸術祭が行われた2010年12月と2011年1月に豊島の1集落で聞き取り形式のアンケート調査を実施した。さらに2020年第4回芸術祭後に、豊島全戸を対象にアンケート調査をした。その結果、

①多くの地域住民が芸術祭を肯定的に受け入れているが、否定的な人も23%～29%いた

②芸術祭に関わりがあった人々は、芸術祭が自身にもたらした変化、芸術祭の継続、満足度、いずれでも積極的な評価をしている

③芸術祭が始まって以降、移住者が増加したことが最も高い評価を得、次に島の知名度アップや活性化をめぐる評価が高かった[注8]

いずれの調査研究にも共通することは、芸術祭への関与の度合いが、芸術祭の満足度、地域や自身にもたらす変化、継続意向に大きな影響を与えている、という指摘である。芸術祭と関わった人は、関わりのなかった人に比べて積極的な評価を与えている。地域型芸術祭では、来場者数を競う前に、地域住民の参画や協働を促し、地域内外の交流を活発にすることが芸術祭の持続可能性を高めるために大切である、ということになる。

こまめ食堂（筆者撮影）
2010年夏、第1回瀬戸内国際芸術祭に合わせて、精米所だった建物を修復してオープンした。

いちばんの変化は「島の人たちの地域への思い」

島の人々は、どのように芸術祭に関わっていくのだろうか。北川総合ディレクター、実行委員会事務局が開催地の島の集落を訪ね、何度も説明会を重ねている。住民は、最初は腑に落ちないことが多々あったが、体験を通してその魅力、おもしろさを理解するようになった。

小豆島の中山地区で「こまめ食堂」を運営する立花律子氏は、肥土山地区の住民説明会に参加した時の体験を話してくれた[注9]。

「その時、地元の自治会長が北川さんに質問しました。『自分たちはどのような協力をしたらいいのですか』と。北川さんは『とくに何もしなくて結構です。でも、きっと何か一緒にしたくなります』と答えていました。その時は、尊大な印象を持ちました。でも、実際に芸術祭の準備が始まり、北川さん

こまめ食堂内部（筆者撮影）
米、魚、野菜、果物、素麺、醤油など、小豆島産の土地の恵みを生かした料理を供す。

のおっしゃるとおりだと、実感しました」

作家が地域に来て作品をつくり始めると住民は見に行く。眺めていると手伝いたくなる。一度手伝うと次に差し入れをしようと思う。立花氏は、台湾の作家・王文志氏の作品の設置場所の近くで食堂をやっている。ある日、おやつにぜんざいを持っていった。王氏はぜんざいに添えてあった竹箸を見て、「これ、釘の代わりに使いましょう」と言い出し、その場で箸を割って作品に差し込んだ。「箸が入ったことで作品と自分の関係が、突然、ものすごく濃くなりました。きっとそういうささやかな出来事が他の地域でも起きています」と立花氏はいう。

サポーター組織のこえび隊の若者が地域に入る。住民と協働して作品の制作を手伝う。住民は日常にはないにぎやかな時間を過ごす。作品ができあがるころには苦労話を共有し、「自分

作品制作準備（写真：Shintaro Miyawaki）
住民やボランティアサポーターらが協働して作品制作の準備を行う。

の作品」になっている。芸術祭が始まると、今度は島に来る人に作品を紹介したくなる。協働制作についても説明する。

立花氏は、芸術祭が始まって最も変化したのは「島の人たちの地域への思いだ」と語る。若者が大勢来て田畑で農作業をする島民に、「いいところですね」「きれいな景色ですね」と話しかける。「高齢でしんどいから米づくりをやめたい」と話していたおじいさんが、草刈りの回数を増やしたり、畦道に花を植えたりしている。来場者にいろいろ質問されるため、島の勉強をし直している人もいる。地域も、人も、褒められて元気になる。

「人と関わることの敷居が低くなったことも芸術祭の効果だ」と立花氏はいう。「作品鑑賞パスポートをぶら下げて歩いている人がいたので、トラックで寒霞渓まで送ってあげた」

「二十四の瞳映画村まで連れて行ってあげた」といった話をあちらこちらで耳にする、と話す。「島の人は、島外の人と関わることに抵抗があったのに、芸術祭の客というだけで敷居が低くなって気軽に声をかけられるようになりました。できればもっと島を知ってほしい、もっと楽しんでほしい、喜んで帰ってほしい、という島の人たちの思いからです」。

島の人々の自主的な活動も始まっている。豊島では、自宅を解放し、食事やささやかな飲食を販売するところが出てきた。島のおばあちゃんは、買ってきた飲料を、買い値と同じ価格で軒先で売っていた。来場者に対する心遣い、あるいはせっかくの機会に来場者と話をしたい、という思いの表れである。本島では、住民が、午後5時10分に島を出るフェリー最終便に合わせ、送り太鼓を披露する。再会の願いを込めて太鼓や笛の音色を響かせる。

瀬戸内海の12島と2港を舞台にする国内最大級の現代アートの祭典だが、その規模の壮大さの一方、島民による手づくり感を随所に配しているところも、瀬戸内国際芸術祭のかけがえのない魅力である。

島間の交流

芸術祭を機に、島間の交流が始まっている。芸術祭の副次効果である。実行委員会は、「瀬戸内国際芸術祭」会期外にもアートを通して地域の活力を取り戻し再生を目指す「ART SETOUCHI」活動に取り組んでいる。

例えば2019年、直島、男木島、小豆島、沙弥島（与島地区5島＝沙弥島、瀬居島、与島、岩黒島、櫃石島）、本島、宇野港周辺の住民が、各市町の担当者と、移住者が増えている男木島を訪れたことがある。作品を鑑賞し、島の変化や瀬戸内国際芸術祭との関わり方について男木地区連合自治会会長から話を聞き、交流会が開催された。

以来、ホスト島を交代しながら島間の交流が継続している。同じ瀬戸内の島々だが、近くの島には行ったことがない、という人が多い。2010年第1回芸術祭後の島民アンケートでも、「この機会に他の島に行ったが、島の状況の違いに驚いた。男木島と比べて犬島は平地が多く、住みやすい島とわかった」と自分の島を見直した人もいる。

芸術祭は、会場の各島が互いに交流し、地域の課題やそれぞれの取り組みについて情報交換をする貴重な機会になっている。行政区も跨がっている。芸術祭がなければ他島との交流の機会はなかったに違いない。地域活性化の視点から、注視すべき傾向である。

4 ボランティアサポーター ——観る側から支える側へ

２００９年に組織されたボランティアサポーター「こえび隊」は、２０１２年に、ＮＰＯ法人瀬戸内こえびネットワークとして法人化された。法人の目的は、「瀬戸内国際芸術祭２０１０で発足したボランティアサポーター「こえび隊」の運営を担い、芸術祭、ＡＲＴ ＳＥＴＯＵＣＨＩ全般を支える活動をする。島間、サポーターのネットワーク、行政と民間などの媒介者として機能すること」である。

代表理事は北川フラム氏、事務局長を甘利彩子氏が務めている。常勤スタッフ８人（２０２２年６月現在）。甘利氏は長野県出身。２００４年に高松市に移住し、２００９年のこえび隊の立ち上げに参画して事務局の運営に携わっている。甘利氏は「最初は島を訪ねても、島のルールや独特のしきたりなど何もわからなかった。島の自治会長や婦人会長に叱られながら学びました。島の人に会えば元気に挨拶する、そこから始めました」と笑う[注10]。

当初、隊員をネットで募集した。四国や岡山、関西で説明会を開いた。２０１０年９月までに２３００人が登録を終えた。２０２１年３月末には、１万１７７４人に達した。３年以内に実際に活動に参加した隊員は２４７１人である。その内訳は、四国が47％と最も多く、関東13％、海外12％、中国

こえび隊朝礼（写真：Shintaro Miyawaki）
朝礼後、こえび隊メンバーはそれぞれ担当する芸術祭の会場に出発する。

11%、関西10%と続く。年齢は小学生から90歳代まで幅広く、平均年齢は35・7歳。仕事を持っている人が時間をやり繰りして参加するケースも多い。注11

2022年第5回の芸術祭では、延べ3842人のこえび隊が、作品制作、作品受付、各種ガイド、イベント運営に参加した。

地域貢献や社会教育を考える企業や学校を中心に、香川県・岡山県の企業を中心とした52社・団体から「企業・団体ボランティアサポーター」1575人が芸術祭に参加した。計5417人のボランティアサポーターが芸術祭を支えたことになる。

企業・団体ボランティアサポーターからは、「普段、会うことのない人々や島民と交流できて楽しかった」「こえび隊に登録して継続的に活動に参加したい」といった声が寄

ソピアップ・ピッチ（カンボジア）「La dance」（筆者撮影）
会期中は芸術祭を巡るさまざまなオフィシャルツアーが催行され、こえび隊もガイドとして参加する。2022年9月4日、夏会期最終日に「北川フラム総合ディレクターといく小豆島ツアー」が行われた。

せられた。

芸術祭を訪ねると、受付、ガイド、作品説明などさまざまなところでこえび隊に出会う。毎回何かの活動に参加している人も多い。リピーターである。最初は来場者として芸術祭を訪れ、こえび隊の存在を知り、次は芸術祭との関わりを深めたいとこえび隊の活動に参加するようになったという声を聞く。鑑賞する側から、芸術祭を支える側に回る。作品や芸術祭に対して別の愛着が湧く。こえび隊には年齢制限がなく、1日だけでも参加できる。活動内容も活動場所もいろいろである。都合や好みに合わせて活動を選択できる。最初の一歩を踏み出しやすい。世界から集まるさまざまな年齢、職種のサポーターと交流できることも、こえび隊に参加する魅力である。

この人に聞く

浜田恵造氏（瀬戸内国際芸術祭実行委員会名誉会長、前香川県知事）

地方に何があるのだという問いへ一つの答えを示した

知事に就任したのは、第1回瀬戸内国際芸術祭が始まってすぐの2010年9月でした。当時は世界的にも前例がない、内海にある複数の小島で開催する現代アートのフェスティバルが果たしてどれだけ人を惹きつけることができるのか、期待と不安が半々でした。船でしか渡ることができないところに芸術祭の舞台を設定し、果たしてどうなるかと関係者は心配しました。

しかし、ふたを開けてみると杞憂でした。来場者が多すぎて交通整理をどうするか、地元住民の暮らしに支障が出ないか――などを心配することになりました。

高齢化、人口減少が進み、にぎわいのなくなってきた島々に、現代アートの力で活気を取り戻す社会実験です。瀬戸内の素晴らしい風景と現代アートという抽象的なものの組み合わせです。その意外性を大いに楽しんでいただき、おかげで島の高齢者も笑顔になりました。

芸術祭は5回を数えますが、海外、とくにアジアとのつながりに着目し、ローカルの食に焦点を当てたり、新しい工夫を積み重ねています。必ずしもアートだけにこだわらず、地方の良さをいかに出していくかが課題です。瀬戸内海はその舞台として素晴らしい。

東京一極集中が進む一方で、地方創生の模索が続いています。芸術祭は「いったい地方に何があるのだ」という問いに対する一つの答えを提示したと思います。地方には素晴らしい自然がある。固有の歴史や生活文化がある。人と人のつながりがあります。

１００万人の来場者でも、移住、定住につながるのはごく一部です。しかし、昨今はテレワークがあります。島の素晴らしさを享受しながら仕事をし、生活することが可能だ、ということをもっと示せると思います。

香川県は移住者が増えています。香川の魅力は、田園都市にあります。豊かな田園と都市の持つ利便性を兼ね備え、暮らしやすい土地柄です。

また、香川県には豊かな文化的土壌があります。江戸時代、讃岐高松藩の五代藩主、松平頼恭公は18世紀半ばに、魚の図譜『衆鱗図』（四帖）、鳥の図譜『衆禽画譜』（二帖）、植物を描いた『衆芳画譜』（四帖）、『写生画帖』（三帖）などの素晴らしい図譜をつくり、将軍に献上しています。高松藩の歴代藩主は、産業奨励策に力を入れ、数々の名工、名匠を育てました。おかげで文化芸術が花開き、味わい深い文化的風土が培われました。県の代表的な伝統産業である漆芸もその一例です。

金子正則知事の時代（１９５０年～１９７４年）から観光とデザインに力を入れてきました。「デザイン知事」の異名を持つ金子知事は、第二次世界大戦の空襲によって焼失した高松中心地に「民主主義の時代に相応しい建物を建てる」と語り、丹下健三に依頼をして「香川県庁舎東館」を建設しました。さらに猪熊弦一郎をはじめ地元ゆかりの芸術家と交流を深めました。

イサム・ノグチや流正之など、香川出身でない方も含めて、瀬戸内海の魅力と香川の文化的な蓄積に惹かれて集まる芸術家が多くいます。県民の間にも、そういった文化的土壌を大切にしていこうという思いがあります。

文化芸術の価値を言葉で表現するのは難しい。結局、人を感動させるものが残る、そうではないものは廃れていく。人は芸術やスポーツに純粋に感動します。そういうパワーが潜在しています。人間が他の動物と違うところは、まさにそういう点です。

瀬戸内国際芸術祭は、多くの人に支えられ、多くの来場者を迎えることができています。今後、長く続けていくにはたいへんな努力がいります。福武總一郎総合プロデューサーは「収支が赤字になってしまっては続かない」といつもおっしゃいます。その忠言をスタッフがしっかり頭に入れながら、北川フラム総合ディレクターが手腕を振るって夢のある作品や企画を用意する。行政は、準備に地道に取り組むことです。県予算については、議会に丁寧に説明し、懸案事項を解決することが大切です。企業への協賛のお願いも、丁寧に地道に回ることが基本です。

芸術祭を継続するには努力がいります。中身は変わってもよい。むしろ変わるのがいいのではないかと思います。その時の状況や環境に応じて柔軟に変化するのが芸術祭らしいと思います。

（2021年8月12日　高松市内にて　筆者インタビュー）

5章

交流から定住へ

——島の暮らしに新風を吹き込む——

1 島に変化をもたらす「関係人口」

こえび隊という関係人口

瀬戸内海の島々は、歴史と独自の文化に彩られている。しかし、各島は過疎化と高齢化に苦しむ。本土との社会基盤の格差、高度経済成長期の産業構造の転換、進学・就職による若者の島外転出…。人口減少が進み、従来のコミュニティ機能が低下し、祭礼など文化遺産の継承が難しくなっている。

瀬戸内国際芸術祭は、連綿と続けられてきた島民の営みを敬い、歴史、文化、自然、生業、暮らしに光を当てるのが現代アートに課せられた役割、と考えている。そのために参加、体験、協働、そして関係性の構築が重視される。地域内外の人々の出会い、交流、協働が繰り返されるなかで展開されるプロジェクトである。そのプロセスが地域再生、地域活性化につながる、と期待されている。

第1回芸術祭後の住民アンケートでは、ボランティアサポーター「こえび隊」の活動に対して高い評価があった（図5・1）。島の住民には、こえび隊は初めて会う「見知らぬ」「よそ者」である。四国からの参加者が43％と最も多かったが、中国、関東、近畿、あるいは台湾、香港、中国など出身地もさまざ

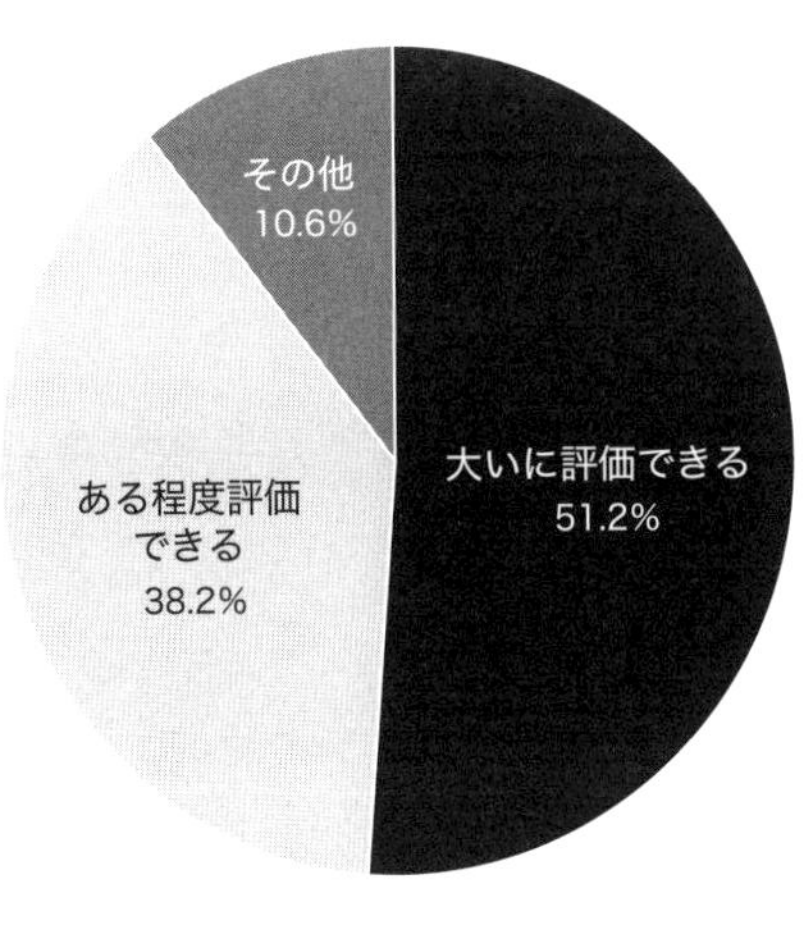

図5・1　2010第1回芸術祭におけるこえび隊に対する住民の評価
（出典：2010総括報告より筆者作成）

ま、年齢も幅広い。島に来て、作品制作の手伝いや芸術祭のPR活動をし、期間中は、会場で毎日作品の受付・運営をする。時には、島で行われる催しの手伝いをする。芸術祭を開催していない間も島にいて、恒久作品の公開やイベントを支援する。

当初は、住民にとって突飛な存在だった。しかし、芸術祭終了後のアンケート調査では、「作家やこえび隊とのつながりを、今後も持ち続ける仕組みを考えなければならない」（豊島）、「こえび隊を含め関係者の挨拶運動が徹底し、気持ちが良かった」（女木島）、「アーティスト、こえび隊との縁故ができ、これからもこのつながりを大切にしたい」（男木島）など、島民の間には、アーティストとこえび隊との出会いを歓迎する声が多い。

こえび隊と地域の関係には、濃淡がある。芸術祭の準備期間に、空き家掃除や草刈りを住民と一緒にするこえび隊がいる。作品の制作に携わるこえび隊もいる。開催期間中に、1日だけ作品の展示場で受付をしたこえび隊もいる。

豊島美術館周辺の棚田（筆者撮影）
地元住民、福武財団、土庄町が協力して再生した棚田が広がっている。

２０１３年第2回芸術祭後、事務局がこえび隊メンバーを対象にアンケート調査（N＝２４７）をしている。２０１０年第1回の芸術祭から続けて参加している人が22％、第1回終了後から第2回の準備段階までに参加した人が11％、計33％が継続的してこえび隊に参加していた。第2回芸術祭では、55％の人が5回以上もこえび隊の活動に参加し、20回以上参加した人が14％いた。

活動に参加して印象に残っていることの1位は、「こえび隊同士の出会い、交流」（58件）、2位は「作品受付や来場者との交流」（40件）、3位は「島や地元の人との交流」（30件）、4位が「アーティスト、スタッフとの出会い」（21件）だった。半数以上が、活動を通して「世代、地域を越

安部良〔建築〕「島キッチン」（筆者撮影）
豊島の豊かな食材を使ったオリジナルメニューを味わえる人気のレストラン。オープンテラスでは、ワークショップや島のお誕生会などのイベントが行われる。

えて普段は出会うことのない人たちと協力・交流できたこと」を印象深い出来事としてあげていた。

豊島では、2009年、唐櫃棚田保存会、土庄町、福武財団が協働して、豊島美術館の周辺に広がる休耕田を再整備する「棚田プロジェクト」に着手した。「田植え体験」「稲刈り体験」を実施し、秋には「豊島棚田の収穫祭」を開催する。住民、行政、福武財団、こえび隊が協働して棚田の保全に取り組んでいる。

2010年、芸術祭の作品として、豊島の集落にあった空き家を建築家の安部良氏が改築設計し再生したレストラン「島キッチン」が開店した。島のお母さんたちが台所に立ち、地元の食材を調理する。芸術祭で人気のレストランである。

島キッチンの運営には、NPO法人瀬戸内こえびネットワークが携わっている。毎月、誕生日を迎える人を島内外の人が祝う「島のお誕生会」を開催している。芸術祭の期間外でも、週末を中心にレストランを営業し、島の住民を相手に弁当を配達する。「島のお誕生会」の案内やお知らせ、周辺の島々の出来事など、こえび隊が集めた情報を掲載する「島キッチン新聞」を毎月発行し、全戸配布する。豊島の世帯数は410世帯（2022年）である。こえび隊のメンバーが全戸のポストに入れて回る。お誕生日を迎える住民には、お誕生会への参加を誘う。この活動自体が、1人暮らしの高齢者の安否確認になっている。自宅にこもりがちな高齢者を外に連れ出すきっかけになっている。

こうした活動に携わるこえび隊は、移住する「定住人口」でもなく、観光に来る「交流人口」でもない。地域や地域の人々と多様に関わる「関係人口」である。

交流型、滞在型の催し

小豆島の福田地区（福武ハウス）で、2022年9月4日、一夜限りの祭「葺田夜祭」が開催された。影絵公演「福田うみやまこばなし2022 — かぼそ雑記」のリハーサルを訪ねた。この催しは、影絵師の川村亘平斎氏らが、福田地区でフィールドワークと住民インタビューを重ね、さらに作品制作を通じて地域住民との交流を深めてきた成果である。

公募で集まった7人の影絵の出演者は、8月29日～9月4日の間、福田地区に滞在し、リサーチを重

葺田夜祭での「影絵」（写真：しまもよう（牧浦知子））
2022年9月4日、小豆島福田地区で影絵師川村亘平斎氏らにより影絵が上演された。公募で集まったメンバーが地域のフィールドワークを重ね作品を制作した。

ねた。小豆島の昔話に登場するカワウソの妖怪「かぼそ」がすみかを探して島を巡るストーリーである。大学生をはじめ若者の参加が多かった。東京から来た女子学生は、「以前、小豆島に来たことがあります。素晴らしい自然に惹かれ、またやって来ました。瀬戸内海の海と島の自然は、東京にはない自然です」と感激した様子で話していた。影絵の舞台は初めてという人ばかりだった。それでも川村氏の指導を受け、楽しそうに役を演じていた。

2 交流から定住へ

若者・子育て世代が移住する

芸術祭をきっかけに、飲食店や宿泊施設ができ、移住者が増えた島がある。香川県の移住者および移住世帯の推移は図5・2のとおりである。各市町から移住者数の報告を取り始めた2014年以降、増加が続く。2021年は過去8年で最多となった。

2021年の移住者を年代別に見ると（図5・3）、20歳代が931人、次に30歳代（541人）が続く。この年齢層が全移住者の過半数を占めている。定年後の移住ではなく、若者・子育て世代の移住が多い。

移住者の各市町別内訳は（表5・1）のとおりである。

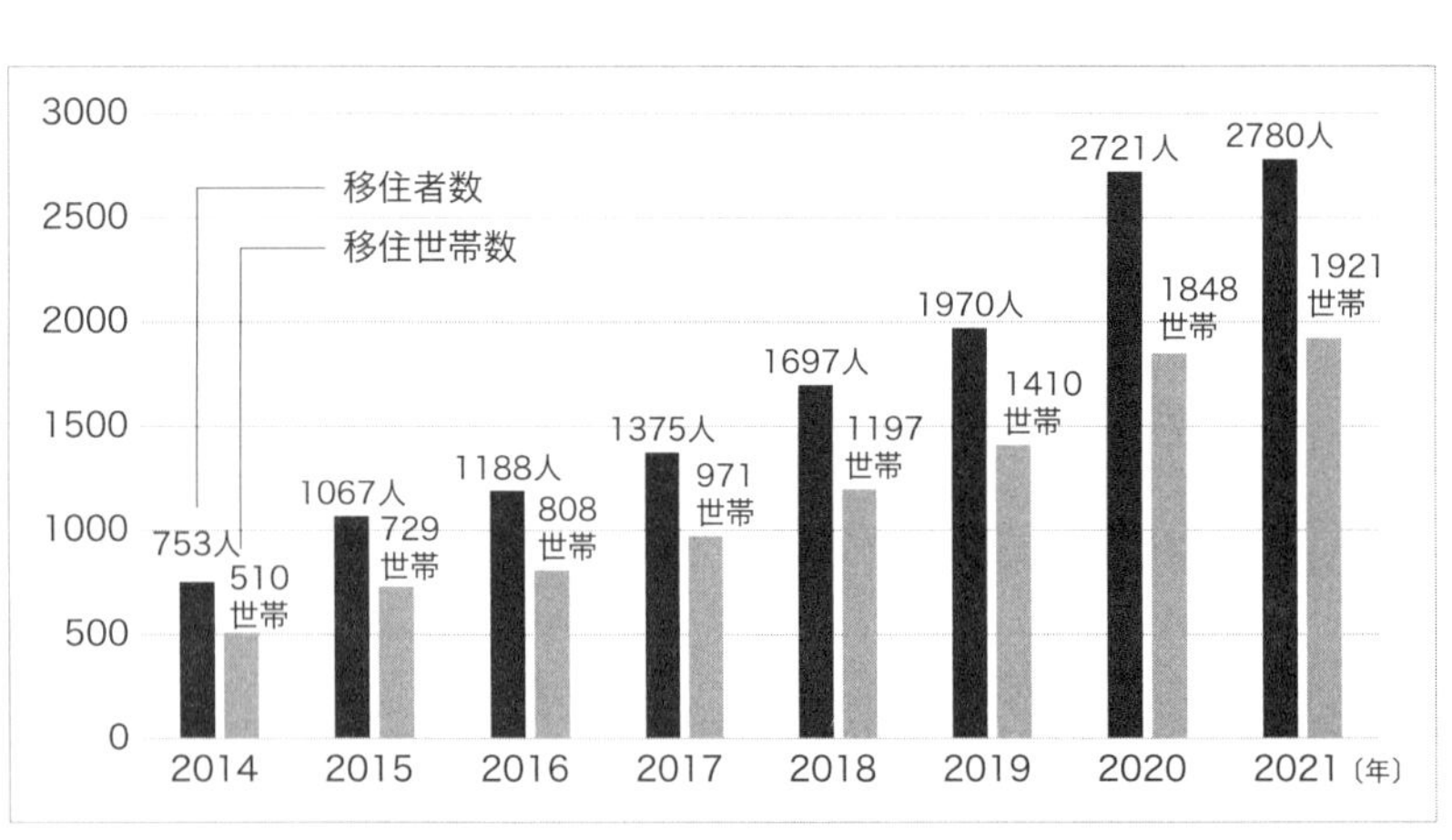

図5・2　香川県への移住者数、移住世帯数の推移（出典：香川県地域活力推進課資料より筆者作成）

2021年は高松市が最も多く、次が三豊市、三木町、東かがわ市、観音寺市、小豆島町と続く。香川県の島では、移住の増加が顕著な島は、小豆島と男木島。小豆島には、土庄町と小豆島町がある。土庄町は、小豆島本島以外に豊島、小豊島、沖之島を含む。小豆島町の人口は1万3348人。[注1]土庄町の人口は、小豆島が1万2011人、豊島768人、小豊島9人、沖之島58人、計1万2864人[注2]である。2021年の移住者数は、土庄町1511人、小豆島町1777人の計3288人だった（県推計）。

小豆島町は、2006年ころから移住促進に力を入れている。空き家バンクや就労支援、子育て支援を町が推進してきた。瀬戸内国際芸術祭が移住促進を後押しし、芸術祭開催以降、移住者は増加傾向にある（図5・4、図5・5）。

小豆島町の移住者（Iターン／Jターン）に、進学・就職などの理由で島を出た後、生まれ育った出身地に戻って就職、もしくは転職するUターン組を加えると、2018年度は移住者が268人に達した。これを年齢別に見ると、

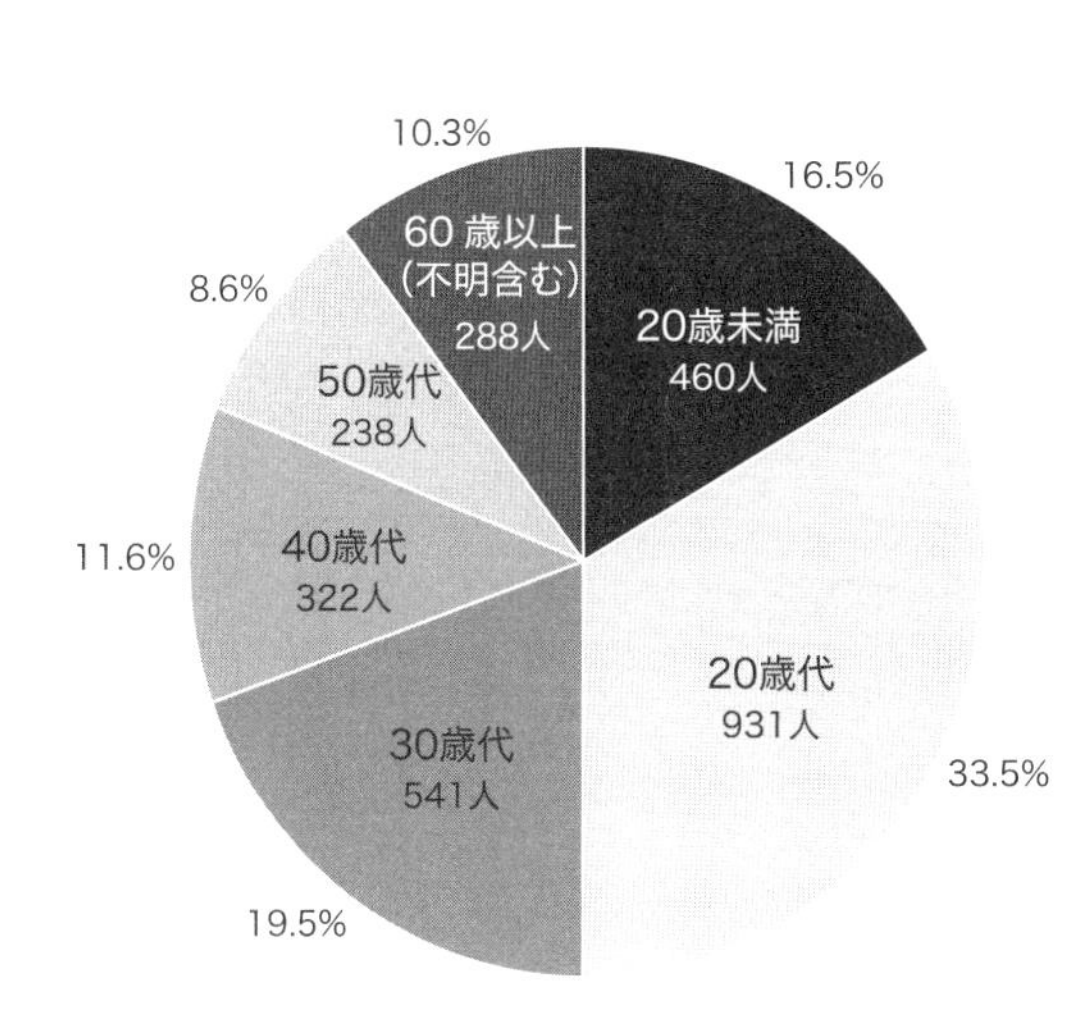

図5・3　香川県への移住者（2021年）の年齢別内訳
（出典：香川県地域活力推進課資料より筆者作成）

	2020年度			2021年度		
	移住者数	移住世帯数	移住相談件数	移住者数	移住世帯数	移住相談件数
香川県	-	-	2,244	-	-	2,259
高松市	758	537	342	574	414	627
丸亀市	132	61	71	131	53	47
坂出市	147	107	15	122	89	18
善通寺市	31	20	13	54	43	10
観音寺市	218	136	104	177	109	107
さぬき市	119	72	79	103	66	101
東かがわ市	153	120	41	179	132	82
三豊市	94	55	165	305	201	143
土庄町	136	106	546	151	113	441
小豆島町	129	109	582	177	126	557
三木町	166	105	18	180	112	34
直島町	105	84	221	99	94	53
宇多津町	77	45	11	113	73	13
綾川町	154	89	13	116	52	23
琴平町	42	30	1	22	17	1
多度津町	155	95	12	157	132	7
まんのう町	105	77	11	120	95	17
計	2,721	1,848	4,489	2,780	1,921	4,540

表5・1　香川県市町別移住者（出典：香川県地域活力推進課）

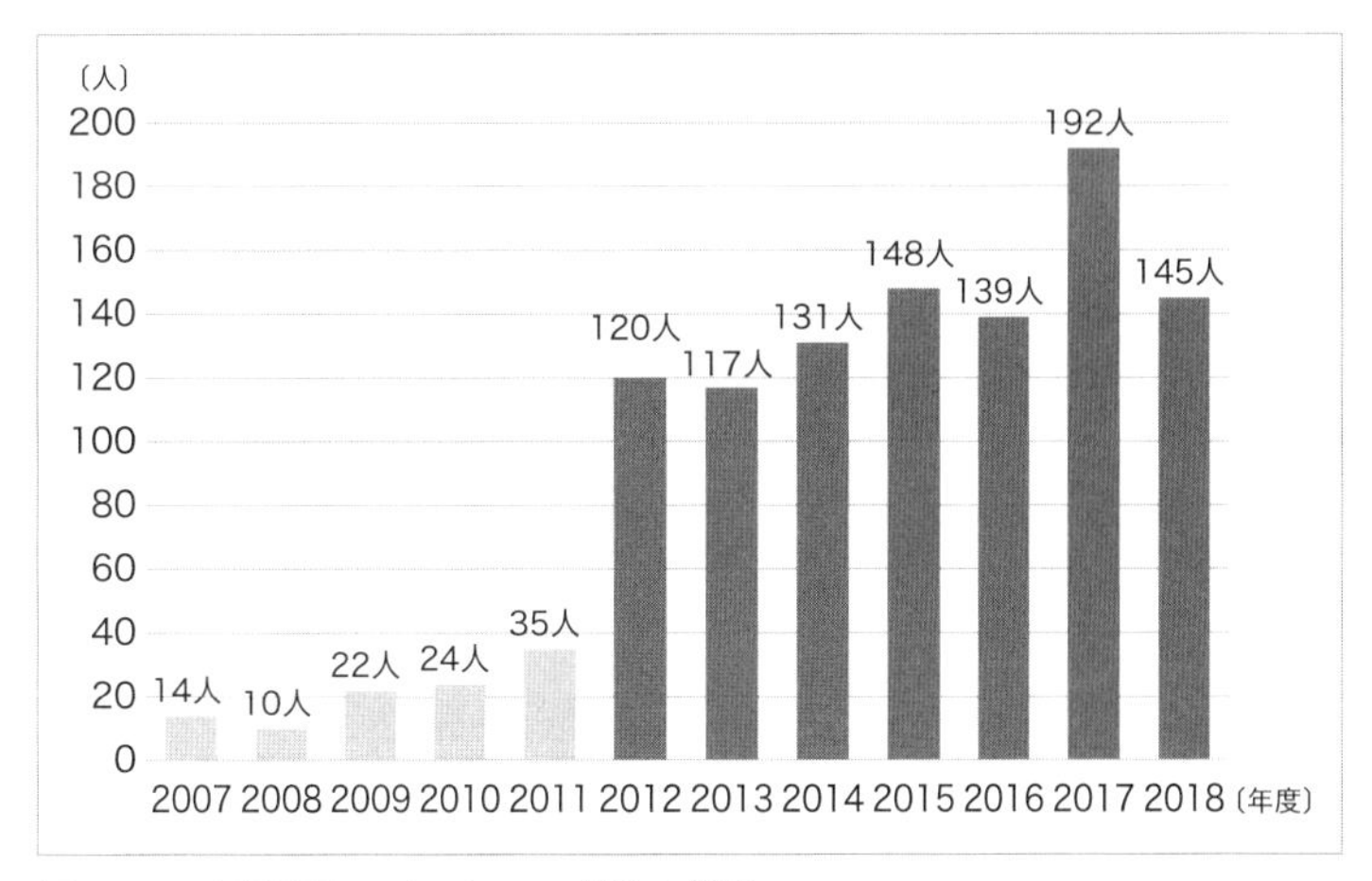

図５・４　小豆島町Ｉ／Ｊターン者数の推移
（出典：小豆島町「第２期小豆島町の人口ビジョン」より筆者作成）

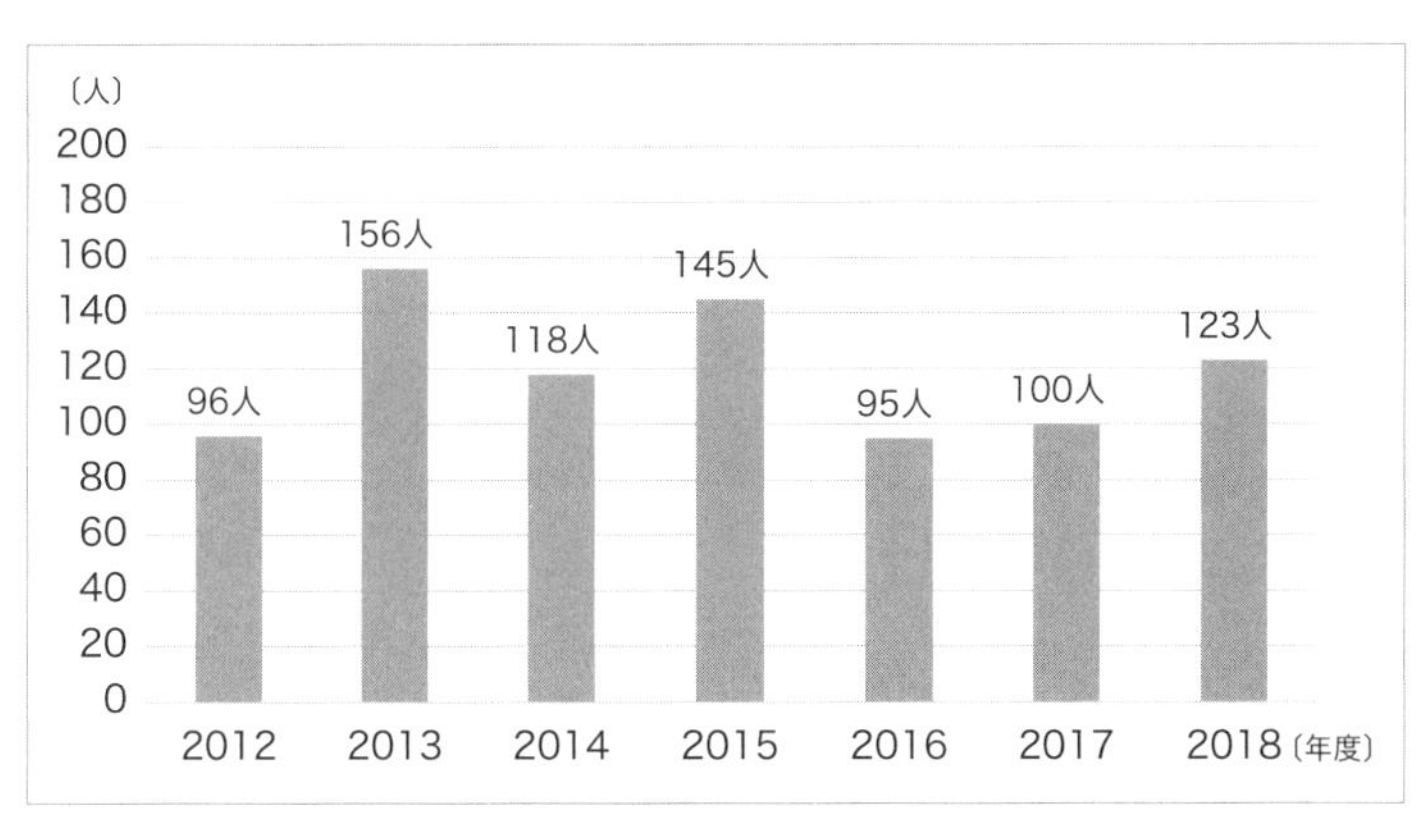

図５・５　小豆島町Ｕターン者数の推移
（出典：小豆島町「第２期小豆島町の人口ビジョン」より筆者作成）

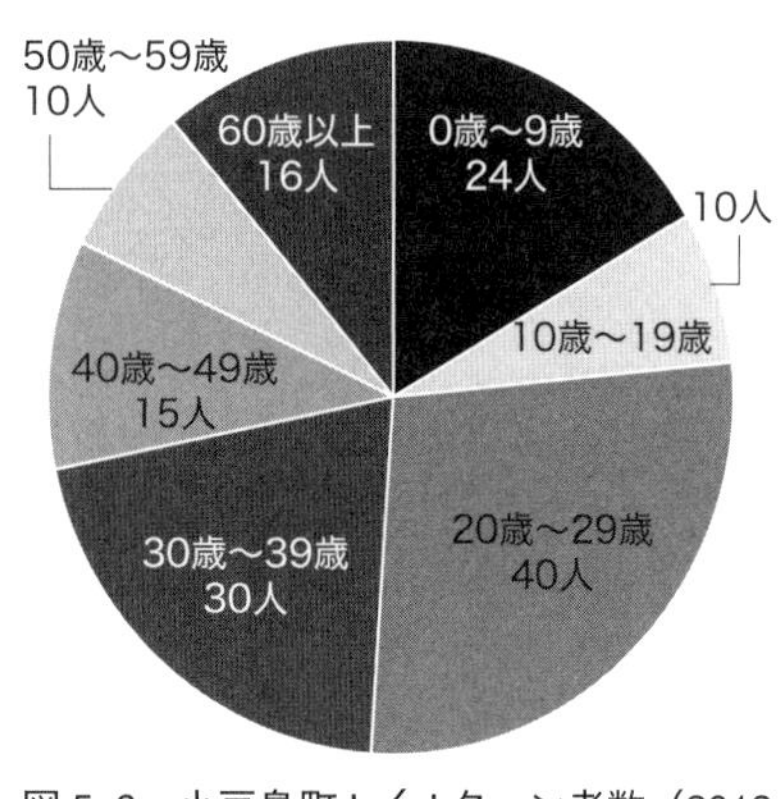

図5・6　小豆島町I／Jターン者数（2018年度）145人の年齢別内訳
（出典：小豆島町「第2期小豆島町の人口ビジョン」より筆者作成）

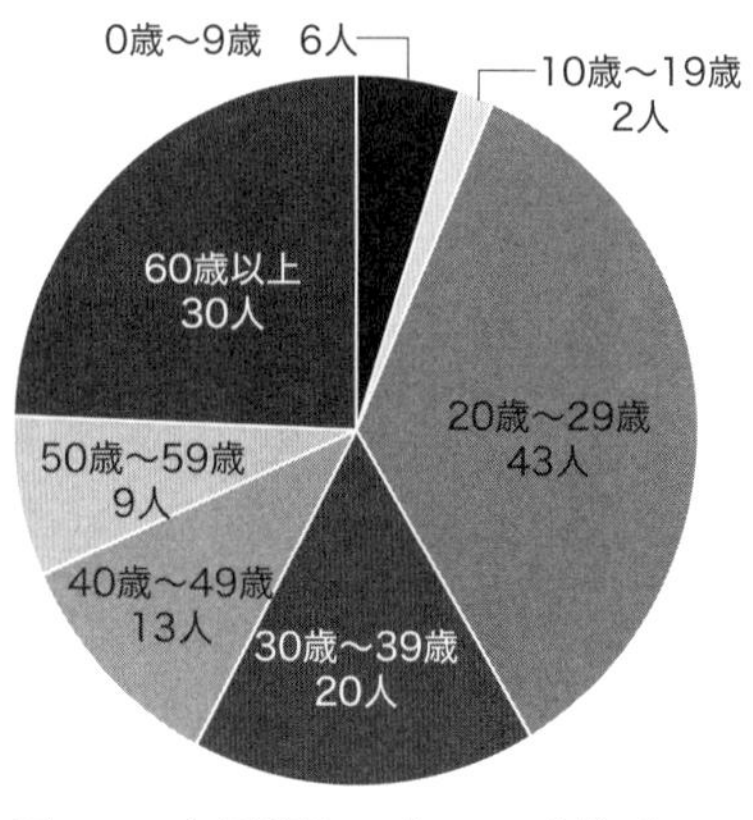

図5・7　小豆島町Uターン者数（2018年度）123人の年齢別内訳
（出典：小豆島町「第2期小豆島町の人口ビジョン」より筆者作成）

Iターン／Jターン組も、Uターン組も20歳～39歳がもっと多かった（Iターン／Jターン組48％、Uターン組51％）。定年後に移住する60歳以上よりはるかに多い（図5・6、図5・7）。

小豆島では、島内2町の行政の壁を超えて移住や定住支援に取り組むために、2016年、NPO法人Totieが設立された。Totieは、「結ぶ」を意味する英語「to tie」と「toti（土地）」と「ie（家）」をつなげた造語である。空き家バンクの物件の見学、島の人と食事を共にする場を設けた移住ガイドツアー、就職相談会を定期的に実施している。移住者が定着し、住み続けるためのサポートや交流支援も行う。小豆島は、醤油、佃煮、素麺の食品産業、農業、石材業、観光関連産業、オリーブ製品の製造業など地場産業が活発である。おかげで島に移住する人の9割が地元企業で働く。伝統を引き継いできた島の人々と新しい視点を持った移住者が、それぞれの技術や経験を活かしながら地域経済を発展させる。NPOはそれを支える産業支援活動にも力を入れる。[注3]

移住者には、カフェや雑貨屋を始めたり、地元特産のオリーブや醤油の販売、柑橘類を取り入れたビール醸造所を開くなど新しいビジネスに取り掛かる人がいる。東京のデザインカンパニーに籍を置き、農産品のブランディングや農家のためにWebサイトを立ち上げるなどのリモートワーカーもいる。また、地域おこし協力隊として島にやってきた若者は空き家をリノベーションして書店を始めた。[注4]

保育所、小学校、中学校が再開

男木島も、瀬戸内国際芸術祭を機に大きく変化している。高松港の北7・5キロ、女木島の北1キロに浮かぶ面積1・34平方キロ、周囲5・9キロの小さな島である。平地が少なく、南西部の斜面に階段状に集落がある。住民基本台帳による人口は、2023年3月現在で148人。[注5]生業は漁業が中心だったが、従業者の高齢化、後継者不足などの問題をかかえている。

島の最北にある男木島灯台は、1895年に建設された全国的にも珍しい庵治石(御影石)造りの洋式灯台である。1957年に、映画「喜びも悲しみも幾歳月」のロケ地になり、有名になった。灯台から山に向かって少し坂をのぼると「水仙郷」が広がる。1月下旬から3月上旬にかけて1100万株の水仙が咲く。

フェリー港のすぐ側に、白い屋根の建物がある。フェリー発着の待合室を兼ねた島の観光拠点「男木交流館」である。建物はスペインのアーティスト、ジャウメ・プレンサ氏が2010年第1回芸術祭の

ジャウメ・プレンサ（スペイン）「男木島の魂」（筆者撮影）
島の案内所、フェリー乗船券売り場など交流館としてさまざまに活用されている。

折に制作した作品である。「男木島の魂」と名づけられている。屋根には「風」と「波」を意味する8ヵ国語の文字が刻まれ、その文字影が水面に映し出されている。この作品は、歳月を経て島固有の文化をつくり、それを守り続ける男木島の人々に対する敬意を表している。

この施設は、本来、アートとして建設された。それを自治会の働きかけで住民の恒久的な生活利用にも供されることになった。男木島では、それまで船着場に待合室がなく、風雨の日の船待が厳しかった。第1回芸術祭の会期中は、交流館で自治会が当番制で郷土料理のたこめしを販売し、400〜500万円の売り上げをあげた。[注6]「蛸を獲る人、作る人、売る人、皆の協力があったから成功した」[注7]と住民も達成感を得た。

男木島は、芸術祭で人気を集めたが、2002

2014 年 4 月、6 年ぶりに男木小学校、3 年ぶりに中学校が再開された
（写真：瀬戸内国際芸術祭実行委員会）

年に保育所が休所。２００８年の小学校休校に続き、２０１１年には生徒３人が卒業し中学校も休校した。島から子どもの声が聞こえなくなっていた。

小学校、中学校の空き校舎は、２０１３年第2回芸術祭でアート作品の展示会場となった。18歳まで男木島で育った福井大和氏は、第2回芸術祭に関わったのをきっかけに、家族でUターンを決意した。[注8] しかし、子どもの学校がない。福井家を含む4世帯の移住希望者（未就学～中1まで子ども11人）は、２０１３年秋までに８８１人の署名を得、学校再開の要望書を高松市に提出した。２０１４年4月、小学生４人、中学生2人が通う男木小中学校が仮設校舎で再開された。その後、２０１６年に男木小中学校の新校舎が完成し、5月には、新校舎の多目的室を利用して小規模保育事業所も開所した。１

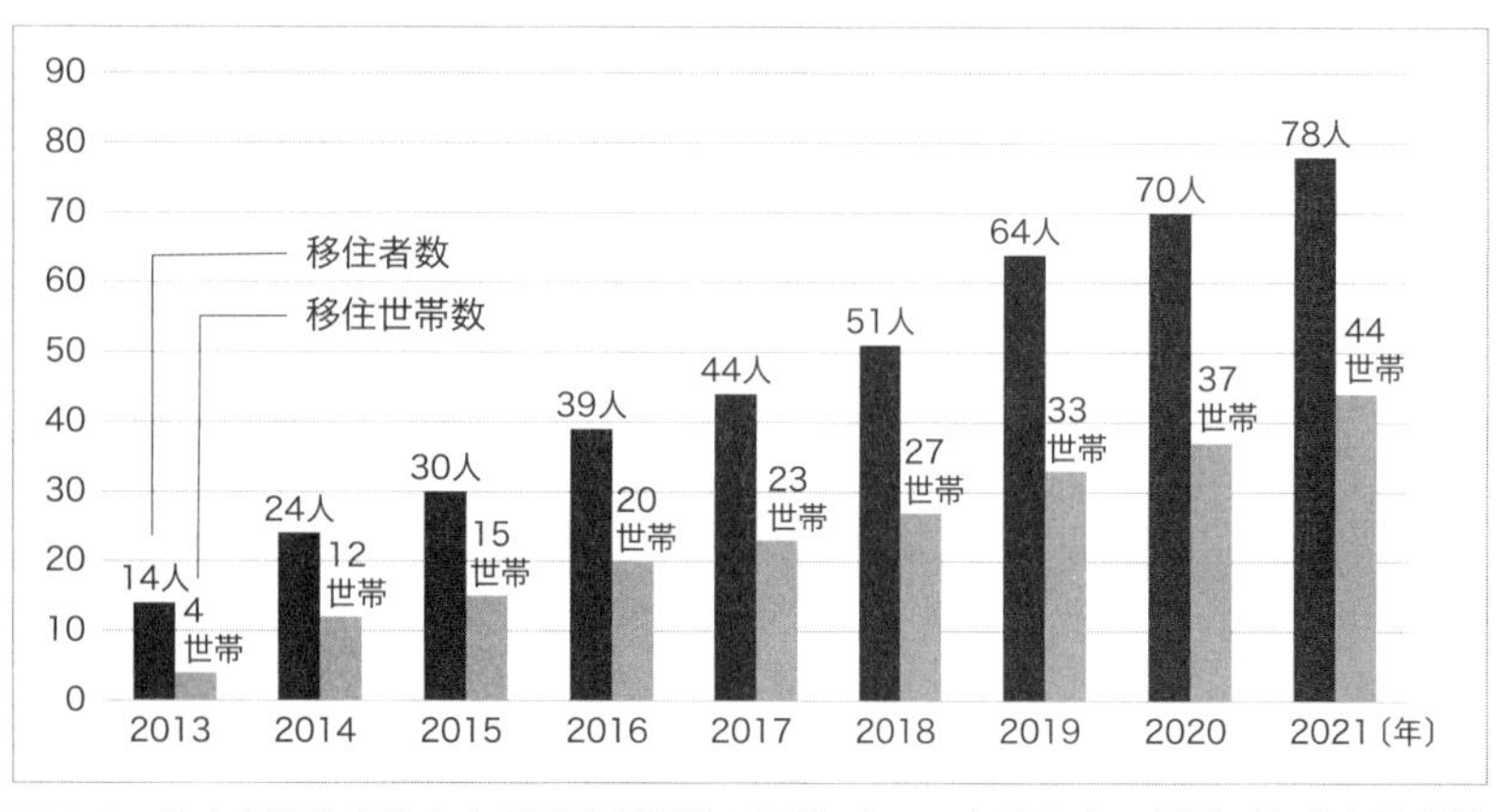

図5・8　男木島移住者数および移住世帯数の累計（2013年度からの累計（年度末時点））
（出典：高松市資料より筆者作成）

歳から5歳まで4人が入所した。2019年には、男木保育所に1歳から4歳までの幼児7人が通い、小学生5人、中学生1人の計13人が男木小中学校で学んでいる。

現在、福井氏はNPO法人男木島生活研究所代表理事、および男木地区コミュニティ協議会会長として地域の世話役を務めている。妻の額賀順子氏は、寄付やボランティアなど総勢300人の協力を得、DIYで古民家を改修し、2016年2月に「男木島図書館」を開設した[注9]。

男木島の移住者の推移（累計）は図5・8のとおりである。現在、島民のおよそ半数が移住者である。

無料のウェブサイト作成用ソフトとして人気の「WordPress」の利用者らが親睦を深めるために開催する「WordCamp」が、2018年7月15日、男木島で開かれた。これまで世界48カ国で開催され、日本では首都圏を中心に開かれてきたが、離島での開催は初めてだった。バンコクから男木島に移住したウェブエンジニアの西川伸一氏が実行委員長となって実現させた。2020年9月には、男木島で2回目の

「WordCamp」を、日本では初めてとなるオンラインで開催した。
小さな島に大きな変化が起きている。

3 芸術祭を契機に人材が集まる

芸術祭のマザーポート高松市

変化は離島だけではない。芸術祭のマザーポートである高松市にも変化が起きている。香川県が発表した高松市の2021年度の移住者・移住相談件数は、移住者574人、移住世帯414世帯、移住相談627件だった。2020年度の高松市への移住者は758人、移住世帯537世帯、移住相談342件。県庁所在地で交通の利便性が良い。県全体の移住者の20〜30%が高松市である（移住者には、企業の転勤者などは含まれていない）。

日本の人口が初めて減少に転じたのは2005年。その後、2006年、2007年は微増したが、

大巻伸嗣「Liminal Air -core-」（筆者撮影）
芸術祭の出発は高松港から。港にそびえ立つ２本の柱が周囲の情景を映し出す。

２００８年に再び7万9千人の減少になった。以降、減少が続いている。高松市では、２０１１年に死亡数が出生数を上回り、以後、人口の自然減が拡大している。半面、人口の社会増では、２００８年以降、転入超過が続いていた。しかし、２０２１年は３３４人の社会減となった。新型コロナウィルスのパンデミックとの関係はまだ不透明である。

離島では、宿泊施設が不足している。そのため芸術祭の宿泊客は、高松市を拠点とし島を巡るケースが多い。芸術祭の期間中は、高松市の宿泊施設や飲食店では来客が増加する。高松市議会では、こうした経済効果を評価し、芸術祭を支持する議員が多い。関連予算も、スムーズに可決される。２０２２年第5回は、新型コロナウィルス感染下で開催され、外国人客が激減したが、2019年までは外国人来場者数も順調に増加していた。とくに高松空港の国際定期路線の就航先である韓国、中国、台湾、香港からの来場者が大きく伸びていた。

自治体初の取り組み「芸術士派遣事業」

高松市の変化は、観光客の増加だけではない。市は、第1回の芸術祭開催に先駆けて、2009年から保育所や幼稚園、こども園にアーティストである「芸術士」を派遣する「芸術士派遣事業」を企画した。さまざまな芸術分野に豊富な知識を持つ「芸術士」が、保育所・こども園・幼稚園で子どもたちと生活を共にする。子どもたちの興味や芸術表現をサポートし、子どもたちの自由な発想と創造力を最大限に引き出す環境をつくる。子どもにも、保護者にも好評である。市内8割ほどの施設から、芸術士の派遣要請がある。現在では、丸亀市や善通寺市をはじめ近隣の市町にも同じ事業が広がりつつある。

2022年度は、高松市内97施設の保育所・こども園・幼稚園で活動が行われた。単発のワークショップを実施するのではなく、専門性がある芸術士が継続的に保育所などを訪ねる。年間を通して保育に参加し、子どもたちの感性や創造力の芽を育む活動である。芸術士は日々の保育のなかで保育士・幼稚園教諭と連携しながら子どもたちが自由に表現するのを手助けする。芸術士の専門領域は、絵画、彫刻、造形、身体表現、音楽など幅広い。高松市を拠点に活動しているアーティストである。高松出身のアーティストに加え、他地域から移住してきたアーティストも多い。芸術祭を契機に新しい活動が始まり、アーティストやその卵たちが高松に集まる。

「芸術士派遣事業」を請け負っているのは、高松市に本拠を置く特定非営利活動法人「アーキペラゴ」である。このＮＰＯ法人の設立趣旨は、「瀬戸内海地域と四国エリアの個性や地域ならではの種を磨くこと、および、そこに関わる人びとの心根と気づきの絆や連鎖を創出・拡大することにより、次世代へと引き継ぐ創造的な文化芸術、産業、教育等の事業を育み、地域の活性化と社会の発展に貢献することを目的とする」と定款にある。

アーキペラゴは、２０２２年第５回の瀬戸内国際芸術祭では高松港の食のテラスを運営し、県産食材を使用した「瀬戸内の食のめぐみ」を提供した。また、香川漆芸情報発信（漆の家管理運営）事業として、２０１０年第１回芸術祭当初から男木島の「漆の家」の運営に携わっている。第５回でも、芸術祭会期が始まる前の修復修繕作業、会期が始まってからの運営を行うなど芸術祭に参画している。[注10]

芸術祭をさまざまなアクターとの関係構築につなげる

高松市は、大島アーティスト・イン・レジデンス事業として、大島の歴史を次代に伝える「こどもサマーキャンプ」を実施している。２０１４年に始まったこのイベントでは、毎年、小学生から中学生の子どもたちが大島を訪れ、大島青松園の入所者から話を聞く。ハンセン病の歴史を学び、講師のアーティストとともにアート活動や自然を楽しむワークショップである。

大島アーティスト・イン・レジデンス事業実施を請け負っているのはＮＰＯ法人瀬戸内こえびネットワークである。「大島こどもサマーキャンプ」以外にも、島内外で録音した音源素材を活用し、毎月一度、15分間の手づくりラジオ番組を放送する島内ラジオ放送「大島アワー」（放送開始：２０１５年9月）を手がけ、そのアーカイブをYouTubeで公開している。

芸術祭の開催がこうした官民連携活動を生み出し、市民や子どもたちが参加する。平素からの活動が芸術祭への関心や参画を促すという好循環につながっている。経済効果や来場者数などの数字には表れないが、瀬戸内国際芸術祭の地域創生への貢献である。瀬戸内国際芸術祭がコミュニティや地域の本質的な再生・維持につながっているかをめぐっては、議論がある。[注11] 高松市の芸術士派遣事業、大島の活動は、地域住民や地元アーティストに文化資源を再分配し、地元の人々を巻き込む文化教育的なプロジェクトになっている。そして新たな社会関係を構築している。瀬戸内国際芸術祭を真に地域の再生につなげるためには、こうした活動のさらなる展開が求められる。

この人に聞く

大西秀人氏（瀬戸内国際芸術祭実行委員会副会長、高松市市長）

新しい産業や文化を生み出しながら100年続く芸術祭を目指したい

2007年に高松市長に初当選しました。香川県と高松市がもっと意見交換をしようということで真鍋武紀知事と毎年トップ会談をしました。2008年の議題は、瀬戸内国際芸術祭でした。知事から「われわれは今、海を忘れかけている。瀬戸内海という素晴らしい資源を大いにアピールするために芸術祭をやらないか」と提案があり、大賛成しました。県と市が協力し、福武財団と一緒に何かしようという合意ができました。

瀬戸内国際芸術祭は、回を重ねるごとに充実してきました。2010年第1回に1％に過ぎなかった外国人来場者が、2019年第4回には118万人の来場者のうち24％が外国人でした。国際化を示す象徴的な数字です。世界的な宿泊予約サイトであるブッキング・ドットコム・ジャパン株式会社が「2020年の旅先トレンド10」を発表した時、日本から唯一、高松市がランクインしました。瀬戸内国際芸術祭は、瀬戸内のブランドを確立したと同時に、高松市の都市ブランドの向上、国際化に大いに寄与しています。

瀬戸内国際芸術祭を長く継続したいと考えています。1895年に始まったイタリアのヴェネツィア・ビエンナーレは、ヴェネツィアン・グラスなどの工芸品や産業を発展させながら、

120年以上の歴史を刻んでいます。瀬戸内国際芸術祭も、継続を通して観光振興だけでなく、地域の産業を創り出すことができます。

高松市の離島である男木島、女木島、大島にも大きな変化がありました。

男木は移住者が増えています。島のイメージが変わりました。若い移住者が多く、2014年4月には休校になっていた小中学校が再開しました。赤ちゃんが4人生まれた年もあります。保育所も再開しました。海外からの移住者もいます。高齢化で弱体化していた島のコミュニティが復活しました。移住者には、男木島の生業である漁業に携わっている人がいますが、IT関係者も多い。2020年には、世界各地で開かれているWordPressのイベントである「WordCamp」が、オンラインで男木島で開催されました。

女木島も来訪者が増え、観光が伸びています。まだまだ変わります。

何より大島が、芸術祭をきっかけに大きく変わりました。それまで大島は離島振興法の離島に指定されていなかった。島に離島振興計画がなかったからです。大島には、国立ハンセン病療養所の大島青松園の入所者や職員など関係者だけが暮らしています。入所者は2014年時点で80人、平均年齢が81歳を超えていました。大島の住民はいなくなるかもしれない、という危惧がありました。そこで入所者にも委員会に入っていただき、大島のあり方について幅広い検討を重ね、大島全体の総合的な将来ビジョンを描き、2014年に大島振興方策を策定しました。その後、離島に指定されました。それまで官用船しか往来していなかったのですが、一般旅客定期航路になりました。

当初、瀬戸内国際芸術祭に大島が参加するか否かは、意見が分かれました。「入所者の心情を考えると難しい」という声がありました。しかし、北川フラム氏や私は、参加に積極的でした。「大島が参加しなければ、瀬戸内で芸術祭をやる意味がない」と主張しました。参加して非常によかったし、入所者も喜んでいます。外部との接触を控えたい入所者がいますので、その点は十分留意しています。

2015年からは高松市主催で、毎夏、小中学生を対象に「アートと自然を楽しむサマーキャンプ」を大島で実施しています。子どもたちがアーティストとワークショップをし、その成果を入所者に発表します。子どもたちはハンセン病や大島の歴史についても学びます。

現代アートは理屈ではなく、五感で感じるものです。感じ方は人それぞれに自由です。だからこそ、世代や地域の壁を越えていろいろな人が集まり、交流できる。世界を広げる力を、アートは持っています。また、多様性、寛容性といった要素を持っています。

高松城（玉藻公園）の入口近くに、イギリスのアーティスト、ジュリアン・オピー作の石彫の人物像が4体並んでいます。オピーがロンドンの街角を歩いている4人をスケッチした作品です。それぞれの職業 ― 銀行家、看護師、探偵、弁護士を思い描いています。不思議な雰囲気を醸し出していますが、城景との間に違和感はない。むしろ高松の国際性を高めていると感じます。

市政で文化芸術を大事に考えているのは、香川県出身の大平正芳元首相が「文化の時代」の到

ジュリアン・オピー（イギリス）「銀行家、看護師、探偵、弁護士」（筆者撮影）
高松城（玉藻公園）の入り口近くに、地元産の石などを用いてつくった彫刻が並ぶ。

来を宣言し、文化行政に力を入れたことに学びました。大平氏の演説集『永遠の今』の冒頭に、「文化の重視と人間性の回復」という言葉が記されています。私もこの言葉をまちづくりの基本理念に据えています。この理念は、瀬戸内国際芸術祭に通底しています。

都市学者のリチャード・フロリダ氏が書いた『クリエイティブ都市論』をおもしろく読みました。クリエイティブ・クラスといわれる柔軟な発想を持つ人材が集まるところが発展するという都市論です。男木島の変化にもささやかながらそうした動きを読み取ることができます。

高松市は、2009年から保育所や幼稚園、こども園にアーティストである「芸術士」を派遣する「芸術士派遣事業」を始めました。イタリアの「レッジョ・エミリア・アプローチ」という幼児教育を参考にしました。子どもたちの自由な創作活動や身体表現を芸術士が見守り、支え、こどもたちの感性と創造力を育むものです。子どもたちは目を輝かせて大喜びです。保護者にも評判が良い。市内97ヶ所の保育所などに芸術士を派遣しています。

このように芸術祭を契機に新しい活動が始まり、アーティストとその卵たちが高松に集まってきました。

第5回芸術祭では、屋島（やしま）や四国村など高松市内の会場にも力を入れました。瀬戸内国際芸術祭2022の作品として屋島山上に「やしまーる」という交流拠点施設をつくり、8月5日夏会期の初日にオープンしました。平安時代末期の源平合戦「屋島の戦い」を題材にしたパノラマアート作品「屋島での夜の夢」が展示されました。

芸術祭の恒久作品も増えてきました。会期以外にも、「ART SETOUCHI」と題して活動しています。そうした継続を通して、芸術祭に関わる人が増え、人材育成が進めば、芸術祭を次の世代に引き継げます。継続が力です。

（2022年7月14日　高松市内にて　筆者インタビュー）

6章

瀬戸内国際芸術祭の国際性

1 日本の芸術祭の特徴と国際化の課題

グローバルな芸術祭は少ない

文化庁は2018年度から国際文化芸術発信拠点形成事業を実施し、文化芸術事業の海外発信に力を入れている。「文化芸術フェスティバルは全国各地で行われているものの、海外発信の取り組みはフェスティバルごとの広報にとどまっており、フェスティバルの横断的な広報戦略も必要である。また、文化芸術イベントを旅行目的として訪日する割合は依然として低いため、さらなるインバウンド拡充に向けて海外発信力強化が必要不可欠である」（本事業仕様書より抜粋）とし、日本における国際展に関する調査事業やシンポジウム、会議を行っている。

2018年の調査結果報告書によると、日本の芸術祭は地域を巻き込むという点に特徴があり、地域を活性化し、地元の喜びになっている点は高く評価される、と記している。一方、国際化の視点からは、下記の課題を指摘している。[注1]

- ヴェネツィア・ビエンナーレやドイツのドクメンタと比較して、日本では国際展覧会に相当するものは非常に少ない。

- 日本の芸術祭は海外からあまり注目されていない。韓国・光州ビエンナーレに来る海外の報道関係者の人数は、国内の芸術祭を取材する海外メディアの人数に比べてはるかに多い。市場として見られていない。
- 日本の芸術祭では、外国人ディレクターの例が極めて少ない。光州ビエンナーレ、ヴェネツィア、ドクメンタはディレクターに外国人を入れている。グローバルなビジョンを持って活躍している国際的な人物を据えようという意識がある。逆に、日本の国際展ではそれが希薄である。
- 海外からの来訪者が少ない。芸術祭が札幌や京都、瀬戸内のように観光と結びつくところを別にして、それ以外はさらなる戦略が必要である。

地域密着型は日本の芸術祭の特徴である。半面、「内向きすぎて海外にひらかれた芸術祭が少ない」「外国人を歓迎する芸術祭が育っていない」といった指摘である。

しかし、瀬戸内国際芸術祭は、回を重ねるごとに海外メディアの報道、外国人来場者、ボランティアサポーターの外国人参加者が増加している。ここでは、瀬戸内国際芸術祭の国際性を検証する。

2 外国人来場者の上位は台湾、中国、香港

広報活動とアクセスの向上により外国人来場者が増加

瀬戸国際芸術祭を訪れた外国人来場者の割合は、4章で示したように2010年第1回1％（1万人）から2019年第4回24％（28万人）へ大きく増加し、来場者の4分の1を外国人が占めるまでになっている（図4・2、117頁）。2019年の来場者の国／地域別は、台湾35％、中国27％、香港11％、以下、オーストラリア、アメリカ、韓国と続く。台湾、中国、香港で海外からの来場者の7割に達していた（図6・1）。

瀬戸内国際芸術祭の公式ウェブサイトのアクセス（検索）に関するデータがある。2018年11月7日から2019年11月4日までに200の国／地域から183万433ユーザーがアクセスしていた。そのうち21％が国外からだった。[注2] 台湾7％、中国3％、香港3％、アメリカ2％、以下、シンガポール、韓国、オーストラリアと続く。アクセス上位は、来場者上位と一致する（図6・2）。

瀬戸内国際芸術祭実行委員会は、開催前年にメディア・行政関係者・協賛企業を対象に企画発表会を

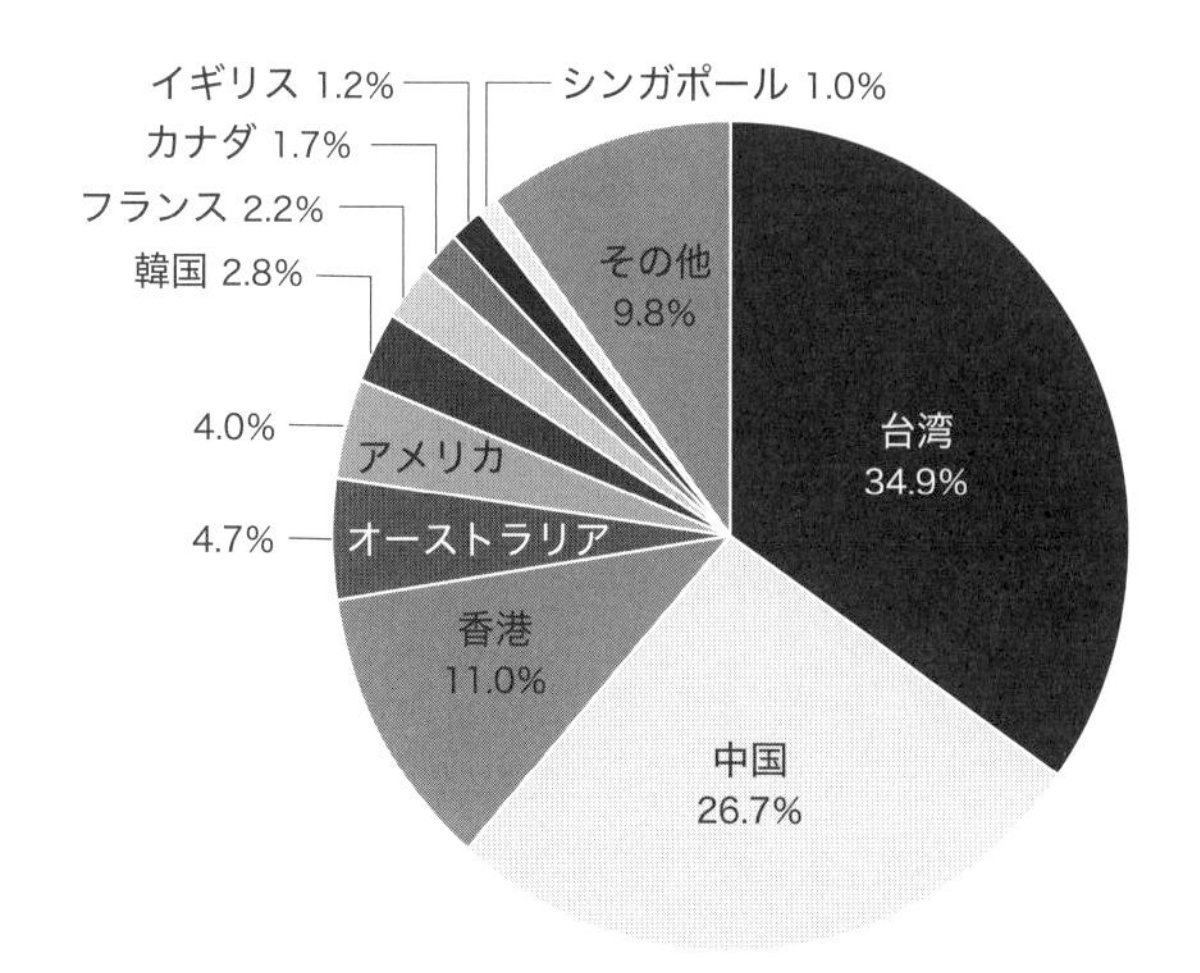

図 6・1　2019 第 4 回芸術祭における外国人来場者の国／地域別割合
（出典：2019 総括報告より筆者作成）

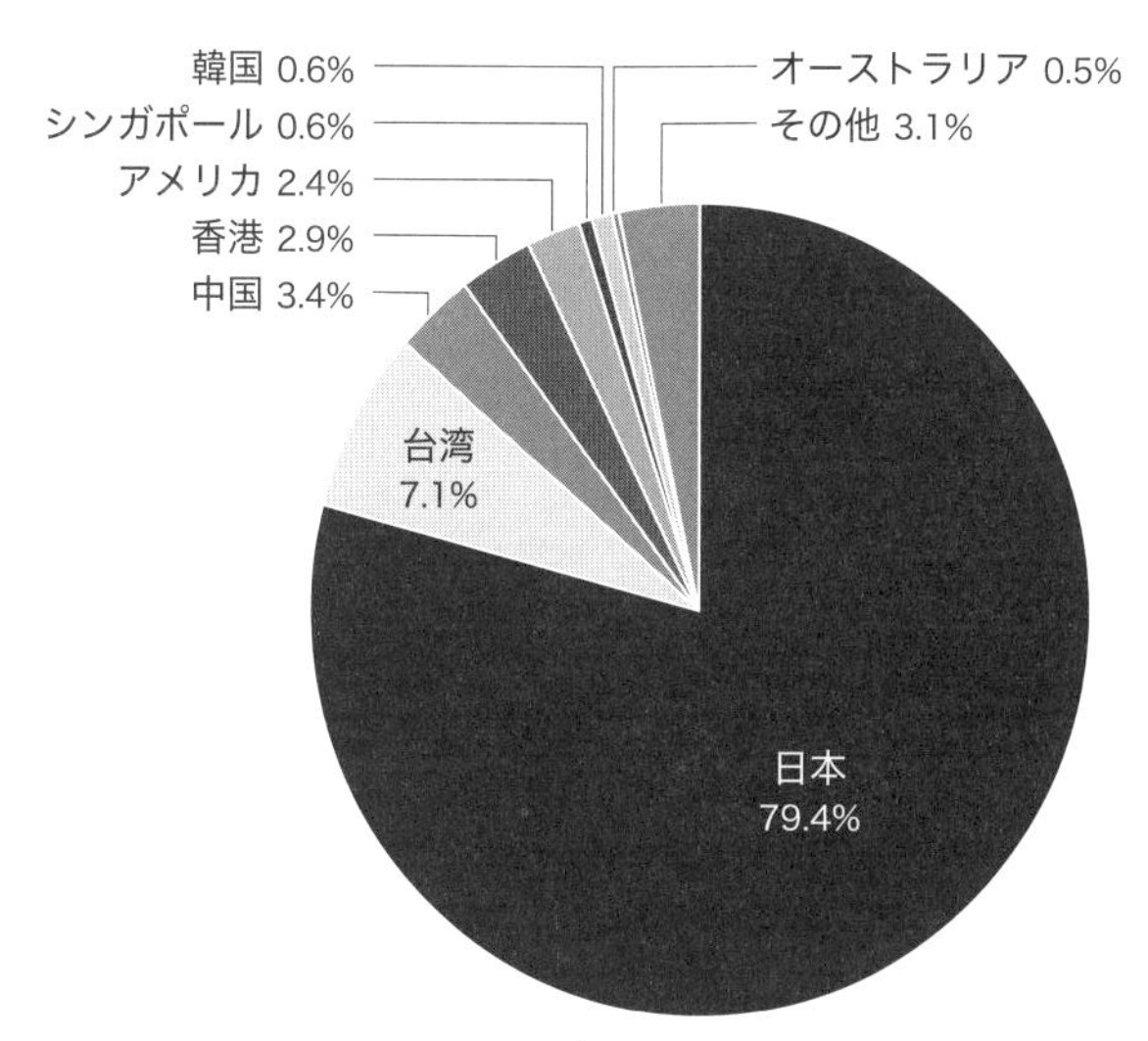

図 6・2　公式ウェブサイトへの国別アクセス割合
（2018 年 11 月 7 日～ 2019 年 11 月 4 日）
（出典：2019 総括報告より筆者作成）

実施した。さまざまな機会にプロモーションを重ねた。そうした広報活動を国内のみならず海外でも用意した。2018年12月には、中国北京で中国の芸術・旅行関係のメディアを対象に企画発表会を開いた。香港、上海、台湾（台平市、高雄市、台中市、台北市）でも、キャンペーンやイベントを展開した。

高松空港は2018年に民営化され、三菱地所、大成建設、パシフィックコンサルタンツなどが設立したSPC（特別目的会社）の高松空港株式会社が運営している。国際線は4社が就航し、台北、上海、ソウル、香港便が運航している。2018年には高松 ― ソウル便、2019年には高松 ― 台北便が毎日就航し、東アジアとの間でアクセスが向上した。その結果、台湾、中国、香港、韓国からの来場者は、大きく増加した。

外国人来場者も高い再訪意欲

日本政策投資銀行は、第4回瀬戸内国際芸術祭期間中の2019年5月～6月に台湾（1134人）、香港（1112人）、韓国（1287人）で瀬戸内国際芸術祭に関するインターネットアンケート調査を実施した。調査対象者は、日本好きの消費者がアクセスするFun Japan社のWebサイト会員で、日本訪問歴10回以上というリピーターも多くいた。[注3] この調査では、「瀬戸内国際芸術祭を知っている」という回答が台湾48%、香港34%、韓国人28%あった。「瀬戸内国際芸術祭2019に行ってみたいか」という質問に対しては、台湾3%、香港3%、韓国11%の回答者が「既に行く予定がある」と答え、台湾

往訪回数	台湾	香港	韓国
1回	18人	24人	12人
2回以上	7人	5人	10人
瀬戸芸へのリピーター比率	28.0 %	17.2 %	45.4 %

表6・1　東アジア3地域の瀬戸内国際芸術祭訪問経験者に占めるリピーターの比率（出典：日本政策投資銀行四国支店「東アジア3地域の瀬戸内国際芸術祭に関する意向調査」）

57％、香港39％、韓国72％の回答者が「予定はないが、行きたい」と返答した。

瀬戸内国際芸術祭の既経験者に「再訪したいか」を尋ねた質問では、台湾では78％が「再訪希望がある」、63％が「再訪の予定がある」だった。香港では「68％が再訪を希望し、39％が再訪の予定がある」、韓国は「再訪希望者が95％、41％は再訪の予定がある」と答えた。芸術祭経験者は、「過去2回以上、瀬戸内国際芸術祭に行った」という人もおり、リピーターが多い（表6・1）。

海外からの来場者は、瀬戸内国際芸術祭の何に惹かれているのだろうか。

原直行（2020）は、芸術祭開催期間中の2019年8月9日〜12日に、豊島・家浦港の交流センターで帰途の船を待つ外国人訪問客を対象にアンケート調査をした。[注4] 調査票は中国語（繁体字、簡体字）、英語で作成し、有効回答は合計121票だった。多くの回答者は、豊島の訪問目的は「芸術祭・アート」「自然体験」と答えていた。島訪問で最も印象に残っているものについては、回答者40人のうち、豊島美術館が27人、次いでフランスを代表する現代アーティストのクリスチャン・ボルタンスキーの作品「心臓音のアーカイブ」が4人だった。

芸術祭以外の感想は、「瀬戸内海と島々の景観が美しかった」「自然を満喫できた」「自然を身近に感じた」「きれいな空気や水を体いっぱいに吸収できた」などがあった。自然に魅了されたという回答が多い。また、「豊島のおもてなしを感じた」「気分的にリフレッシュできた」「心にゆとりが生まれた」「日頃の疲れを癒やすことができた」などの声があった。言葉の壁がある。それでも島民と交流し、地域とのつながりを感じ、普段の観光では体験できない旅をしたことがわかる。

3 海外メディアで取り上げられる瀬戸内国際芸術祭

瀬戸内海の自然とアートが調和した芸術祭

2019年第4回瀬戸内国際芸術祭は海外メディアで多く紹介された（表6・2）。どのように紹介されたか、そのいくつかを例示する。

「アーキテクチュラル ダイジェスト」（インテリア雑誌、アメリカ）

「2019年に訪ねるべき旅行先トップ20」を発表し、「瀬戸内」を世界第8位にランク付けした。そ

新聞・雑誌・テレビ	ウェブサイト
・「東京建築女子」12 月掲載（22P）（中国）	・「Fodor's Travel」11/12、2/4、7/15 掲載（米国）
・「u magazine 周刊 TRAVEL」2 月掲載（2P）（香港）	・「ARCHITECTURAL DIGEST」11/12、4/26 掲載（米国）
・「THE TIMES」2 月掲載（1P）（英国）	・「The Guardian」11/16、1/5、1/19 掲載（英国）
・「Reise und Preise」7 月掲載（5P）（独国）	・「Condé Nast Traveler」12/4、2/28 掲載（米国）
・「Metro」9 月掲載（2P）（英国）	・「National Geographic Traveller」12/4 掲載（英国）
・「MUZIK」9 月掲載（15P）（台湾）	・「Forbes」12/24、7/9 掲載（米国）
・「Paris Match」10 月掲載（5P）（仏国）	・「The New York Times」1/9、11/12 掲載（米国）
・NHK国際放送局「NHK WORLD Direct Talk」9/17 放送（15 分）（海外 160 カ国）	・「Telegraph」4/25 掲載（英国）
	・「USA TODAY」8/26 掲載（米国）
	・「VOGUE」8/30 掲載（米国）

表 6・2　主な海外メディアでの掲載・放映実績（2018 年 11 月 7 日～ 2019 年 11 月 30 日）
（出典：2019 総括報告）

の目玉は瀬戸内国際芸術祭である。

海外からの旅行者は、東京、京都を旅するのが一般的だが、瀬戸内を見過ごし「過小評価している」と書いている。「内海に点在する350の島風景に文化と食が完全に融合している」と指摘し、瀬戸内を訪ねるべき13の理由を挙げた。

例えば、小豆島のオリーブ和牛を紹介している。アメリカでも知られる神戸ビーフを現地で食するのもよいが、加えて「島で2200頭しか飼育されていない希少種で、しかもオリーブの果肉を飼料に混入して食べさせ育てた和牛の美しい霜降り肉は絶品です」と称賛している。その小豆島を含めて12の島々、高松市、玉野市を舞台に3年に一度開催される瀬戸内国際芸術祭は、現代アートの祭典で「これまた必見です」と綴っていた。

芸術祭が未開催の年の、瀬戸内のアート巡りにも言及していた。直島訪問である。「アートアイランドと呼ばれるこの島には、草間彌生氏の象徴的な作品『黄色いかぼちゃ』、ホテルを併設する美術館『ベネッセハウス』、安藤忠雄氏設計による建物自体が傑作の『地中美術館』があります」と訪島を誘っている。また、あなたが庭園の愛好家ならば、「ぜひ、日本三名園の栗林公園と後楽園を訪ね、手入れの行き届いた日本庭園を楽しむのをお忘れなく」と追記している。注5

「フォーダーズ・トラベル」（旅行および観光情報サイト、アメリカ）

「2019年に推奨する旅先ランキングのトップ52」を発表し、日本では唯一「瀬戸内」を選定し、世界第13位に評価した。

「東京のような超近代的なカオス」都市に対して瀬戸内は、「静かで内省的な土地柄です」と書いている。「7県、171市町村、1万6千平方キロからなるこの地域」は、『むかしむかし』の穏やかなロマンを誘う、独特の魅力に満ちたファンタジーランドです」。そこで世界的に著名な現代アーティストの草間彌生氏、森万里子氏らが参加する瀬戸内国際芸術祭が開催される、と紹介している。

穏やかで多彩な伝統を育む島々。そこを巡りながらシュールな現代アートを楽しむ芸術祭 ― その対照的な空間を訪ねる旅は、独特で他ではなかなか経験することができない、という筆致の記事だった。注6

「ザ・ガーディアン」（ウェブサイト、イギリス）

同紙は、「四国は外国人旅行者に見過ごされてきた」と指摘している。巡礼の霊場がある、美しい渓谷がある、海岸線がある、高松市は本土から車で1時間余のところにあって利便性がいい ― それでもごく最近までは、海外から注目されることはなかったという。

しかし、最近は事情が変わって「香川県三豊市でも、瀬戸内国際芸術祭が開催される」という記事である。なぜ、三豊市か。記事は、同市観光交流局が実施した写真コンテストに注目している。2015年秋・冬の部のコンテストでは、「夕暮れ時、波がなく、静かで鏡のようになった父母ケ浜水面に、2人の子供が映る光景を撮った写真」が入賞した。その後、SNSに写真が投稿され、世界に拡散し、〈父母ケ浜〉はグローバルブランドになった。「今では多くの外国人ツーリストが浜の残照を撮りに来る」と書き、2019年開催の芸術祭では、「ぜひ、訪ねるべき会場になる」という紹介記事であった。[注7]

「ザ・ニューヨークタイムズ」（ウェブサイト、アメリカ）

「2019年に旅行するならば」の旅行先52ランキングを掲載した。日本からは唯一「瀬戸の島々」をピックアップし、第7位に選出した。

広島平和記念資料館、しまなみサイクル道などと並べて瀬戸内国際芸術祭が開催されることが「瀬戸内の島々」が高ランク入りした理由であると説明していた。豊島や本島などを紹介している。[注8]

ザ・ニューヨークタイムズは、この記事に続けて記者が2019年秋会期の瀬戸内国際芸術祭を実際に訪ね、その体験記を掲載していた。記者は、「芸術祭が衰退する漁村に新たな創造のエネルギーを吹き込む」と驚いている。小豆島、女木島、男木島、直島を巡った時の感想、市民やアーティストとの交流を写真や動画を添えて紹介していた。「芸術祭が破棄された家をサイケデリックな夢の世界に変えている。それは、人里離れたコミュニティの窮状を、思慮深い声明に満ちたギャラリーに転換している」

と綴っていた。

記者は女木島の海辺の民宿に泊まった。そして最終便のフェリーが島を離れた後、静寂に戻った島の風情に、にぎわう芸術祭では感じられなかった「もう一つの瀬戸内」をしみじみ味わうことができた、というルポルタージュになっていた。[注9]

その他海外メディアでの掲載記事

イギリスの旅行サイト「ナショナルジオグラフィック・トラベラー（*National Geographic Traveller*）（UK版）（2019年1、2月号）では、「2019年に注目する旅行先」の第一番に、「瀬戸内」を選定した。そこでも瀬戸内国際芸術祭2019が紹介された。アメリカの旅行サイト「コンデナスト・トラベラー（*CondéNast Traveler*）」（2018年12月）は、「2019年に訪れるのを推奨する19の場所」で日本を選び、瀬戸内国際芸術祭について言及していた。海外の著名な旅行雑誌が頻繁に瀬戸内国際芸術祭を取り上げるようになった。

また、2022年第5回芸術祭について「コンデナスト・トラベラー」（英国）2022年7・8月号が記事を掲載し、アメリカ「タイム（*TIME*）」誌が「2022年世界の最も素晴らしい場所」（*World's Greatest Places for 2022*）で「瀬戸内の島々」を選んだ。

4 アジアに伝播する芸術祭

自分たちの国や地域で開催したい

第1回瀬戸内国際芸術祭（2010年11月1日）では、ボランティアサポーターのこえび隊登録数2606人のうち外国人は15人に過ぎなかった。その後、外国人の割合が着実に増えている。2016年の総括報告には、「台湾、上海、香港、シンガポール、アメリカ、フランスなど海外ボランティアが全体の1割強になった」と記していた。ウェブサイトを使って英語で参加を呼びかけ、英語で申し込みをできるようになったことが外国人の増加に寄与した。情報が、活動経験のある海外ボランティアの口コミで広がった。

2018年3月31日時点で、こえび隊登録者数のうち、活動メンバー（3年以内に活動に参加した人）は1387人。そのうち145人11%が外国人である。2019年第4回瀬戸内国際芸術祭では、海外ボランティアサポーターはさらに増加した。実動こえび隊1324人のうち、18%が海外からの参加者だった。中国や台湾などアジアの国／地域からの参加者が全体の1割だった。作品の受付に参加したこえび隊のうち36％は海外からの参加者で、中国、香港、台湾、タイ、マレーシア、シンガポールなどに加え、カナダ、イタリア、スペイン、フランス、ドイツから参加があった。遠方からの参加者が、宿泊しながら長期にわたり活動することができるように、高松市内にこえび寮が開設された。芸術祭会期中に4122人が利用した。そのうち54％（2227人）が海外からのこえび隊だった。[注10]

瀬戸内国際芸術祭は、アーティスト、来場者、ボランティアサポーターの間で国際化が進む。なぜ、瀬戸内国際芸術祭でこえび隊に海外からの参加が増えるのか。

北川フラム氏は、「台湾の企業オーナーが、会社を3ヶ月休み、こえび隊に参加していた。アジアからのこえび隊は、長期間活動して芸術祭のノウハウを学び、地域に戻って同じような芸術祭を開催したい、と考えている人が多くいる」という。[注11] 東南アジアの歴史や生業は、海との関係が深い。瀬戸内の海や島と共通する課題を抱えている。そのため「島の人々を元気にしたい」という芸術祭のコンセプトに共感し、参加を決めている。

瀬戸内国際芸術祭に先行した新潟の大地の芸術祭にも、中国や台湾から行政視察がある。ボランティアサポーター活動にアジアからの参加が多い。中国では、日本以上に都市と農村の格差が広がり、農村の過疎化が大きな問題になっている。芸術祭が地域再生の一つのモデルになるのではないか、と考えられている。実際、台湾や中国で「大地の芸術祭」と冠された芸術祭が開催されている。北川氏は、「大地の芸術祭」が、地域で開催される芸術祭の「普通名詞」になり始めたととらえている。

中国、台湾版の「大地の芸術祭」

中国では、2022年11月18日～2023年2月19日まで「広東南海大地の芸術祭」が開催された。中国南東部（広東省）の仏山市南海区政府の主催で行われた「広東南海大地の芸術祭」は、今後10年間、2年ごとに開催される予定である。南海区政府の公式ホームページは、「第1回は南海区西樵鎮が中心だが、将来的には他の郷・鎮・街道に広げる。最終的には、南海区全体で開催する地域型芸術祭を実現したい」と述べている。

芸術祭の理念は「以艺术为坐标、为地域而创作」（アートを座標とし、地域のための創作）である。第1回の主会場になった南海区西樵鎮の面積は176平方キロである。そこに西樵山、聴音湖、太平墟、儒溪村、漁耕粵韻、平沙島、凰崗村、松塘村の芸術ゾーンが設けられ、中国、ロシア、フランス、イスラエル、日本、スペイン、アメリカ、オーストラリア、インドなど15の国／地域から73アートが出展された。[注12]

「広東南海大地の芸術祭は、全国からの観光客が小旅行をするための新しい選択肢になった」と報道されている。開幕当初の11月18日から12月16日に15万人の来訪者数があった。2023年元旦の連休には、「南海大地の美食祭」を同時開催し、3日間で55万2882人が来訪し、宿泊客は10万人を超えた。1月22日から27日までの春節の連休には、5日間で70万人が来訪し、観光収入は4・8億元（94億円）になった。[注13]

この芸術祭の総企画者は孫倩氏。顧問（コンサルタント）に北川フラム氏が就いている。孫氏は、越後妻有の大地の芸術祭の、中国側の公式提携先HUBART（瀚和文化）の理事長である。孫氏は北京でギャラリーを運営している。社会と関連性の高いアートプロジェクトに携わることを考え、2015年に初めて越後妻有を訪れた。そこで人と自然が融和した芸術祭の魅力と可能性を実感し、中国版「大地の芸術祭」を開催する夢を持った。2016年ころから中国では、農村振興に力を入れる「美しい農村」政策が政府主導で始まっている。新潟の「大地の芸術祭」が農村振興に重要な役割を担っていることを知り、同様の芸術祭を中国でやる意義は大きい、と考えたという。[注14]

中国・山東省淄博市沂源県桃花島では、「アートによる農村再生」プロジェクトが進められている。桃花島を含めた七つの村で構成される「沂河源田園総合プロジェクト」は、3期に分けて取り組まれている。2020年までに写生基地、芸術建築コミュニティを建設し、村のインフラを向上させ、観光客を誘致する。2023年までに文化産業を育て、桃花島芸術祭を開催する。2027年までに文化関係の産業クラスターを整備し、美術品取引などの産業形成を目指す。

フランスのシャルル・ド・ゴール空港、パリの新凱旋門、中国の国家大劇院などの設計に関与したポール・アンドリュー氏が駐村してインフラ整備に尽力した。2020年には、山東財経大学郷村振興学院が設立された。人材育成が進む。総計画面積が2130平方キロにおよぶ中国沂源桃花島芸術村では、芸術家やアートの研究者が村でセミナーを開き、多くのアート愛好者が訪れている。このプロジェクトの主席顧問には、福武總一郎氏が就いている。[注15]

台湾では、毎年6～11月に「東海岸大地芸術祭」が開催される。花蓮の南端から台東までの１６８キロ ― 山々と太平洋に面した東海岸特有の自然環境や地形、空間を生かして作品を展示するフェスティバルである。２０２２年開催で8回を数えた。地元の芸術家を募集する一方、国際的な芸術家を招く。彼らが現地で創作活動をする。２０１７年からはランドアートを融合させ、東管処都歴ビジターセンターの屋外ステージで「月光・海音楽会」を開催している。

「東海岸大地芸術祭」のホームページには、「同じく島嶼と海辺で開催しているため『台湾の瀬戸内国際芸術祭』と称されることがある。しかし、台湾東海岸と日本の瀬戸内海の島々を比べると、天候や文化、歴史、そして直面している問題などでさまざまな相違点がある」と記し、日本の内海諸島の文化復興とは視点が異なり、「東海岸大地芸術祭」は、より太平洋島民の、「衆島の洋」の芸術祭である、と主張している。[注16]

確かに相違はある。しかし、芸術祭を通じて来場者と地元民がつながる。そして自然環境や地域の文化を再発見し、海から世界にアートを発信する趣旨は共通している。

世界銀行は、地域型芸術祭の方法論をスリランカに適用し、地域経済の活性化を図るための調査をしている。経済が豊かでない地域にも、コミュニティはある。グローバルレベルのアーティストが芸術祭に参加し、彼らを触媒としてコミュニティのポテンシャルや創造性を引き出す。芸術祭によってレストランや工芸品など2、3次的産業が生まれ、経済発展が促される可能性がある、というのである。[注17]

世界の課題に立ち向かう

2022年10月16日、瀬戸内国際芸術祭実行委員会が主催する瀬戸内アジアフォーラム2022が開催された。同フォーラムは、瀬戸内国際芸術祭2016から続く。アートと文化による地域づくりに関わるアジアの団体・人々の間にネットワークを形成し、国/地域間の対話と交流を生み出すことを目的にしている。過去3回開催された。4回目の2022年フォーラムは、高松市を会場にして世界をオンラインでつないだ。瀬戸内国際芸術祭に参加しているアーティスト、世界銀行、文化行政関係者など、18カ国/地域から29人が登壇し、それぞれの活動、世界の課題とアートの役割について、それぞれの思いを発言していた。

フォーラムでは、中国、香港、台湾の作家が登場し、緊張関係にあるロシア、ベラルーシ、ウクライナのアーティストも参加した。ウクライナのジャンナ・カディロア氏は、戦乱で爆破された金属破片を集めてモニュメントを制作している。「これまでの創作活動で初めて人道的なプロジェクトを展開している」と語った。ロシア国立ウラル連邦大学准教授タマーラ・ガレーエワ氏は、言葉を抑えながらも「互いに心を込めて友愛を育むべきです」と述べた。

オランダのクリスティアン・バスティアンス氏は、2019年第4回瀬戸内国際芸術祭で大島の3人の女性の物語を、「大切な貨物」という映像・ライブパフォーマンス作品に創りあげた。「どれほど困難で圧倒されるような状況にあっても、老若男女を問わず、地域、国を超え、アーティストは、現代社会に危機感を持ち、より人間らしい存在と未来を想像するための対話、意味ある作品、そして物語を提示する責任がある」と語った。「今のような悲惨な時代だからこそ、アーティストは現状を把握し、アートが人々の思考回路に引き起こすことのできる自律的な力を作品によって強調し、たとえわずかな視点の変化であっても一歩前進させるのです」と呼びかけた。

モロッコ出身でフランスで活動するムニール・ファトゥミ氏は、2016年第3回瀬戸内国際芸術祭に参加し、粟島の廃校で「過ぎ去った子供達の歌」というインスタレーションを発表した。2022年第5回には、宇野港にある旧病院に、パリ郊外で撮影された破壊される建築物の映像と写真を使ったインスタレーションを展示した。そしてアジアフォーラムでは、「私たちはゆっくり考える、というぜいたくを失ったのです。世界を想像し、理解し、早急に対策を考えなければならない」と語りかけた。

2022年2月24日に始まったロシアによるウクライナへの軍事侵攻が続く。中国と台湾間の溝が深まっている。しかし、それぞれの国／地域から参加したアーティストが同じ場に登壇して語り合う光景に、「分断を超えるアートの可能性」を示唆するフォーラムとなった。

瀬戸内国際芸術祭には、こうした前向きの、世界の課題に立ち向かう空間が用意されている。それがまた、芸術祭という枠を超えた、「国際」「現代」を唱導する瀬戸内国際芸術祭のパワーの源泉になっている。

7章

公共政策からみた瀬戸内国際芸術祭

1 芸術祭への問題提起を考える

公共政策として瀬戸内国際芸術祭を考えたとき、その効果、手法に対して以下のような課題が指摘されている。

①企画の根幹にある作家・作品の選定は、総合プロデューサーと総合ディレクターが担当した。（中略）行政の一般原則である公平性・公正性よりも、民間にある専門性、あるいは斬新性や尖鋭性を優先させる、というパートナーシップが形成された。[注1]

②事業の実施に当たっては、普段以上に島民負担（生活交通への支障やゴミ処理など）が強いられることを考え、島民（具体的には、島の自治連合会）を実行委員会の正式な構成メンバーに位置づけるべきで、単なる動員や協力ではなく、事業の企画段階からの参加を制度的に保証することが望ましい。[注2]

③定住対策では、事業効果は限定的である。芸術祭が島に社会、文化的な刺激をもたらしたことは確かだが、島の生活課題全体のなかで、交流や観光の重要性は決して高いものではない。[注3]

芸術祭やアートプロジェクト一般に対しては、下記の課題が提起されている。

④ 臨時雇用職をめぐって、「自発性」「やりがい」をタテにし、低賃金、場合によっては無償労働がある。[注4]

⑤ 『地域活性化』の圏域に芸術が回収される」心配がある。換言すれば、芸術が地域課題解決の「道具」に零落し、芸術としての力を失う。[注5]

アートを選ぶのはだれか

①の作家・作品の選定を特定の個人に限定することについては、2016年第3回瀬戸内国際芸術祭時、香川県議会でも議論になった。世界的な芸術祭のヴェネツィア・ビエンナーレは、ビエンナーレ財団がビエンナーレ全体の方向性を決定する強力な権限を持ったディレクターを置く。ドイツのカッセル市で5年に一度開催される現代美術の世界的な展覧会のドクメンタも、テーマと作家の選定をディレクターに一任している。ただし、ディレクターは毎回任命されるので、同一人物になるとは限らない。

国内でも横浜トリエンナーレ、あいちトリエンナーレ、札幌国際芸術祭などの都市型芸術祭は、毎回別の総合ディレクターやゲストディレクター、芸術監督、あるいはディレクターチームを置き、特定個人に固定していない。また、都度、新しいテーマが設定される。美術を専門としない芸術監督が選ばれるときもある。

地域型では、2001年に始まったBIWAKOビエンナーレは、20年間同じ総合ディレクターである。中之条ビエンナーレも、2007年の初回以来、同一人物が総合ディレクターを務める。東北芸術工科大学が主催する山形ビエンナーレは、2014年の第1回から第3回までは同じ芸術監督だったが、2020年第4回以降、交代した。地域との関係性を紡ぎながら開催する地域型芸術祭では、ディレクターと地域の信頼関係が重視される。そのため同じディレクターや芸術監督が継続的に務める事例が多くなると考えられる。

暴力的な文化装置

②の島民負担については、現代アートという「装置」が「よく理解されないまま、半ば強制的に地域に設置される」と感じている島民もいる。地域芸術祭は、時に参加したくない人々も巻き込む[注6]、いわば暴力的な文化装置になることがある、という指摘である。

どのような公共政策にも、常々、賛否がある。100%の賛意を得るのは難しい。なぜ、その施策が有効なのか、地域にどのような恩恵をもたらすのか、それらを丁寧に説明し、反対意見に耳を貸し、合意形成を積み重ねるしかない。

瀬戸内国際芸術祭の場合、開催前の住民説明会、終了後の意見交換会がそうした場になっている。芸術祭を契機に地域に何が起きたのか、経済的な効果、若い人たちの参加、関係人口や定住人口増加などをしっかりと検証する。住民と情報の共有を目指す。経済と結びつく数字だけを追いかけるのではなく、住民の活力や元気、地域の誇りを醸成しているかを考える。芸術祭開催の意義を、住民と共有しなければならない。

2022年第5回の瀬戸内国際芸術祭では、新型コロナウィルス感染症を懸念する声が島民からあがった。医療体制の脆弱な離島では、当然である。芸術祭を開催すべきか、開催するならばどのような感染対策をとるか、来場者をどのように案内するのか。実行委員会と島民の間で真摯で熱心な議論があった。そしてようやく開催にこぎつけた。

終了後の住民意見交換会では、「コロナ禍で開催に不安があったが、来場者には自分で自分の身を守るという意識が感じられた。コロナ対策もしっかりできた」(高見島、多度津町本通)という安堵の声とともに、「今回は食の提供を中止したが、次回は島の食文化を体験していただき、芸術祭を一緒に盛り上げたい」(沙弥島)など次回への意欲が示された。[注7]

芸術祭が真の離島振興になるか

芸術祭が離島振興に貢献できるのか(③)、という課題については、以下の指摘がある。

大地の芸術祭において、「アートイベントの経済効果、社会効果は認められている。その意味で地域振興につながる。しかし、それが地域振興を目指す最適の公共政策かは不明である」。その理由として、産業関連分析の限界に加え、ボランティアなどのシャドーワークが費用に算入されていない、芸術祭にかけた費用を福祉事業や土木事業など他の政策に使った場合との経済的、社会的効果の比較ができていない ― などが挙げられている。[注8]

芸術祭が瀬戸内海の離島の高齢化や人口減少の改善に貢献しているか。開催に費やす税金を、生活インフラの整備や福祉政策に投入した場合との比較が求められる。すなわち、芸術祭をめぐる公共投資の意義を見定める必要がある。文化芸術活動が持つ本質的なパワーを認識し、思い切った発想の転換と新しい生活価値観の提示につなげることが大切である。

瀬戸内国際芸術祭で変化は起きている。関係人口や移住者が増加した。男木島に子育て世代の移住者が増え、保育所、小学校、中学校が再開された。大島が地域振興計画を策定し、離島指定され、一般航路が開始された。産廃の島の負イメージが強く「豊島産」の山海の産品は消費者に嫌われたが、最近は「豊島産」ブランドで堂々と出荷できるようになった ― なども公共政策としての芸術祭が生んだ大きな成果である。

高松市は、情報格差の解消に向けて女木島と男木島に光回線網を整備した。高速で安定した通信環境が整備され、テレワークやオンライン授業、オンラインショッピングをできるようになった。光回線の整備は第5回瀬戸内国際芸術祭の開催直前に完了したように、芸術祭の開催が離島間の通信革新を後押しした。芸術祭が生む、副次的な公共の利益の実現である。

若い芸術家たちの労働問題

芸術祭では、若いアーティストや若手のキュレーター、ボランティアサポーターが多くの活動を支援している。しかし、そこでは、アンペイド／アンダーペイド（賃金不払い／低賃金）ワークが問題提起されている（④）。

多くのアシスタントキュレーターは、有期雇用で各地の芸術祭を渡り歩いている。芸術祭が終われば仕事を失う。長期的な視点に立った人材育成が難しい。ビエンナーレの場合は、2年単位である。開催会期中に次回の計画を進める。常時、事務局が動き、予算が執行されている。そのため比較的、継続的な参加が可能になる。韓国には、四つの大きなビエンナーレがあり、開催時期がずれている。おかげでいくつかの芸術祭で継続的に働くことができる。当然、スタッフの層が厚くなり、ノウハウの受け継ぎが可能になる。[注9] 日本では、自治体主催の芸術祭は、予算が議会の承認を経ていない状況で継続的な開催を約束しにくい。一案としては、各地の芸術祭が連携してアーティストとキュレーターの雇用を持続し、長期的に人材育成に取り組むことなどがある。

瀬戸内国際芸術祭の場合、アートプロジェクトに6億2200万円（2022年、3年計）を計上している。そのうち式典の費用を除いた作品制作・イベント費は5億8900万円である。[注10] 公募作品に50〜250万円を目安とした制作補助金がアーティストに支払われている。[注11] しかし、一般的に芸術祭では「公募は新人作家に発表の場を提供する」という位置づけで、公募作品の制作に対しては費用弁済がないケースが多い。

ボランティアに関しては、主催者の説明責任が問われる。活動内容について十分な説明をし、納得を得、自発的な参加になっているか。瀬戸内国際芸術祭のサポーターには、「こえび隊」「企業・団体ボランティアサポーター」がいる。2019年の瀬戸内国際芸術祭では、芸術祭の趣旨やこえび隊の活動内容を説明し、参加者を募る「こえびミーティング」を各地で15回（台湾1回、香川県以外の国内4回、香川県10回）も重ねた。WEBの情報発信も頻繁に行っている。

従来の日本社会では、地域社会、企業などの所属集団内でのアンペイド／アンダーペイドワークが多かった。地縁、血縁中心の社会に由来する。1980年代以降、しだいに所属集団の外側に跳び出し、人道支援や環境活動、あるいは自分の興味のある分野で他者とのつながりを求める人が増えている。[注12]

こえび隊への参加も、そうした新しい縁づくりである。2021年3月15日現在、「こえび隊」には、メルマガ登録者7533人、3年以内に活動したことのあるメンバー2409人の計9942人が登録している。実際に活動しているこえび隊の内訳は、四国在住者が46％、北海道から沖縄まで各地方の人が40％、国外13％である。平均年齢は34・8歳。20歳代と30歳代で52％と半数を超える。小学生から最高年齢90歳代まで参加している。

瀬戸内国際芸術祭の受付や案内を担当するこえび隊に話を聞いたことがある。芸術祭の鑑賞や観光を支える側にいることに、楽しみとささやかな誇りを感じていた。ボランティアが、自らの公共圏を広げ、新たな縁を紡ぐことになる。そのことを喜んでいた。実際、こえび隊のアンケート調査（2013年）

では、「こえび隊同士、世代、地域を越えて普段は出会うことのない人たちと協力・交流できた」「来場者とおしゃべりを楽しめた」「外国人と交流できた」「島の人々と知り合いになった」「アーティスト・スタッフとの出会いがあった」など、ボランティア活動を通して、ネットワークが広がったことを評価していた。[注13]

アートの道具化、無害化

アートが地域活性化の目的で使われる「道具」となると、芸術としての自立性、すなわち既存の価値観を揺さぶり、現代社会に問題提起をする存在としての力が失われる、という批判的な見解がある⑤。

- 「地域活性化」の圏域に芸術が回収されると、芸術が芸術という固有の領域であることにより期待されていた、現世を超えたある種の力を、失うことにはならないか。[注14]
- (地域振興型芸術祭では)アートが持つ社会に対する批評性が欠落していると同時に、公的支援を受けることで、表現行為が限定的で、かつ無害なものになっているということである。そして今後ますますアートは無害化され、地域活性のための道具に成り下がっていこうとしている。[注15]

地域の側からも芸術祭批判がある。「地域がアートの表現の道具として利用されるというリスク」がある、[注16]アートプロジェクトは地域の人々に「参加することを強制するような圧力」になっている、[注17]そこ

には地元住民の「参加の非選択性」がある。[注18]
アートが地域に、あるいは地域がアートに利用され、消費される。一方が損をし、その本質的な価値を失う、という言説である。結果、双方が損をするかもしれない、という問題提起である。しかし、アートと地域の関係を損得計算で判断すべきことだろうか、という意見もある。[注19]
芸術祭は、美術館やアート市場などの既存の芸術領域を超克することを目指す。社会と直接関わる表現活動である。地域社会は、少子高齢化や過疎化、地域産業の衰退、後継者の不在など、さまざまな課題を抱えている。アートと地域の双方が互いに求めるものが共鳴し、結びつく仕掛けが芸術祭である。互いに相手を「道具」として認識し、奪い合う関係にならないように、プロジェクトを仕組まなければならない。協働の意味を考え、地域とアートが互いを尊重し、共感し、異なる視点や価値観から新たな魅力をともに創りあげていく関係を築くことである。地域型の芸術祭にとって重要な課題である。
芸術祭やアートプロジェクトによってアートの自立性が失われるという懸念は、主催者や開催自治体の要請に基づいて作品を制作するために、より「無難」で「無害」なものになるという危惧の指摘である。だれにでもわかりやすく心地よいものだけがアートや文化芸術の公共性ではない。難解で理解できないが新しい価値をもたらすかもしれない、他の人の心には響き生き方を見つめ直す契機になるかもしれない ― 芸術祭によって芸術の価値が損なわれることがないためには、地域側にもそのように考える度量の大きさが求められる。

2 持続可能な地域をつくる ——芸術祭とまちづくり

地域とアートの相互作用

北川フラム氏の「赤子論」はおもしろい。北川氏は、アートは赤子のようなものだという。「アートは極めて手間のかかる赤ちゃんです。赤ちゃんは周りの人間を動かす力を持っている。儚い、味方のいない、泣いてばかりいる赤ちゃん。だから、だれもが手助けし、守り、ケアしようと手を差し伸べる。アートが持つ魅力も同じです。手間がかかる。でも参加するとおもしろい。そして芸術とかかわって地域が変わります[注20]」。

実行委員会事務局のスタッフが「芸術祭は人の善意を引き出す」と話していた。芸術祭の活動に参加することは、近所の人たちが、時には親に代わって赤子の世話をするのに通じる感覚がある。赤子を守るうちに自分も幸せな気持ちになる。

地域の人たちが差し伸べる手が重なり合って芸術祭が「自分ごと」になる。さらには地域外からやって来る人々との間に関わりが生まれ、地域外とネットワークが育つ。その好循環がUターンやIターン

香川大学×瀬戸内の伝統生活文化・芸術発信プロジェクトチーム／瀬戸内仕事歌
（写真：Shintaro Miyawaki）
屋島山麓にある四国村ミウゼアムの農村歌舞伎舞台では、香川大学と地域の人々と協働で、瀬戸内地域の仕事歌と四国最古のオペラ作品の公演が行われた。

を誘発することにつながれば素晴らしい。

基礎自治体のまちづくり計画と連携

2022年第5回芸術祭では、開催市町がまちづくり計画に沿って主体的な芸術祭の取り組みを展開した。

高松市が景観まちづくり事業として力を入れている屋島では、国内外の人々が撮影した月を巨大スクリーンに投影する、渡辺篤（アイムヒア プロジェクト）氏の「プロジェクト『同じ月を見た日』」があった。新しい交流拠点施設「やしまーる」では、保科豊巳氏の「屋島での夜の夢」など見応えのある作品が展示された。屋島山麓に広がる野外博物館「四国村ミウゼアム」のエントランスには、緩やかに曲線を描く屋根と

香川大学×瀬戸内の伝統生活文化・芸術発信プロジェクトチーム ／四国民話オペラ「二人奥方」（写真：Shintaro Miyawaki）

２０１１年東日本大震災の際に津波で流された南三陸町の民家の古材を利用したオブジェ ― 川添善行氏設計の「おやねさん」が登場した。また四国村ミウゼアムの農村歌舞伎舞台では、香川大学と地域の人々による「瀬戸内仕事歌＆四国民話オペラ『二人奥方』」が公演された。

高松駅からバスツアーが仕立てられた。いずれも、屋島のまちづくりとアートを重ねる企画だった。

小豆島では、日本三大渓谷美の一つで瀬戸内海国立公園を代表する景勝地、寒霞渓に青木野枝氏の作品「空の玉／寒霞渓」が設置された。木立を抜けて視界が広がる山頂付近に球体の見晴らし台が据え置かれた。そこから素晴らしい瀬戸内の大パノラマを見ることができる。

寒霞渓では、明治後期に外国資本による土地の買収計画が持ち上がったことがある。乱開発

青木野枝「空の球／寒霞渓」（筆者撮影）
大渓谷と瀬戸内海を一望できる寒霞渓に、直径約４メートルの鉄の球体の見晴台が登場した。

を防ぐため、地元で醤油醸造業を営む長西英三郎が、島の有志らと「神懸山保勝会」を結成。巨額の寄付をし、寒霞渓一帯の土地を取得した。その結果、土地の管理が一元化され、環境整備が進んできた場所である。先人の郷土愛を受け継ぎ、現在も地元の団体が景観保全と魅力の発信に取り組んでいる。

高見島は、人口25人[注21]で、瀬戸内国際芸術祭の会場で最も住民が少ない。瀬戸内海のほぼ中央、多度津町の西北7・4キロの沖合に浮かぶ島である。標高297メートルの龍王山が美しい稜線を見せる。25度～30度の斜面地に家が建ち並ぶ。集落に自然石の乱れ積み石垣が残る。2022年第5回芸術祭秋会期には、高見島と多度津町が連携して「多度津街中プロジェクト」を実施した。多度津町は、古くから海上や陸上交通の要衝として栄えた。その歴史を物語る旧豪商の「旧合田家住宅（合田邸）」がある本通商店街周辺で、江戸末期〜明治時代に建てられた土蔵や酒造場を舞台に街並みとアートを融合させる取り組みを展開した。アート鑑賞と街の散策で、来場者に島と多度津の歴史ロマンに浸ってもらう狙いがあった。島と本土の周遊性の向上を図る試みだった。

通年化の試みと離島振興

瀬戸内国際芸術祭は、春、夏、冬の3シーズン計100日余の芸術祭である。開催期間以外の千日にも、島の人々の元気、島の生業につながる活動をしている。規模は縮小するが、実行委員会事務局は維持され、「ART SETOUCHI」と題して常設作品の公開やさまざまなイベントを実施している。

こえび隊の一部は、芸術祭開催期間以外も島を訪れ、ART SETOUCHIに関与し、訪問者に作品の案内をする。島のカフェやレストランの営業に関わる。豊島「島のお誕生会」や女木島名画座上映会、大島アーティスト・イン・レジデンス事業などのイベントを開催する。芸術祭関連以外にも、島の祭のサポートや草刈りの手伝いもする。地域の祭は、共同体の信頼関係や一体感を築き、世代を超えて地域の文化を体得する貴重な機会である。しかし、高齢化、過疎化のなかで担い手不足に陥っている。こえび隊のこうした日常活動は、島のコミュニティ活動を支える貴重なパワーになっている。

ハンセン病の隔離の場だった大島は、その未来をどうつくるのか。住民の平均年齢は86歳に達している。芸術祭への参加を決めた住民の思いに寄り添うためにも、芸術祭に発し、芸術祭を超える取り組みが必要である。

芸術祭を持続可能な地域づくりにつなげるためには、芸術祭の開催を契機として始まった民宿や飲食施設などのサービス産業の定着、豊かな地域資源を活用した新しい地場産業の振興、島民の収入の向上、新たな雇用の創出、それを担う人材の確保などが望まれる。

移住・定住情報の発信、空き家バンクシステムの充実、起業支援なども芸術祭とリンクする。瀬戸内の豊かな自然を体験・学習するエコツーリズム、農山漁村におけるグリーンツーリズムを推進し、滞在型観光に瀬戸内国際芸術祭を位置づける努力も必要である。地域創生、地域振興型の芸術祭には、さまざまな可能性がある。

終章

地域型芸術祭とソーシャルイノベーション

日本各地で芸術祭が開催され、アートを活かした地域創生の試みが繰り広げられている。そのなかでも瀬戸内国際芸術祭は、なぜ、これほど多くの来場者を呼ぶことができるのか。

限られた船便を乗り継ぐ。交通機関のない島の坂道を、汗を掻きつつ歩き、作品にようやくたどり着く。混雑日には、船の積み残しが発生する。乗船までの待ち時間が不安になる。飲食店のない島がある。飲み物も食べ物も、自分で準備する。あれこれ不便が多い芸術祭である。それでも多くの人が島を訪れ、多くのボランティアサポーターが活動に参加する。また、そこで芸術祭のノウハウを学び、「帰国して自分の国／地域でも同じような芸術祭を開催したい」と考え、海外から来る訪問者がいる。

島民の間には、予想を遥かに超える来場者に喜び、驚き、しばしば戸惑いがある。それでも新型コロナウィルス感染症の影響下で開催された第5回芸術祭について、73％の住民が、芸術祭は地域活性化に「大いに役立った」「少しは役立った」と受け止めていた。（図終・1⑴）芸術祭の作品が自

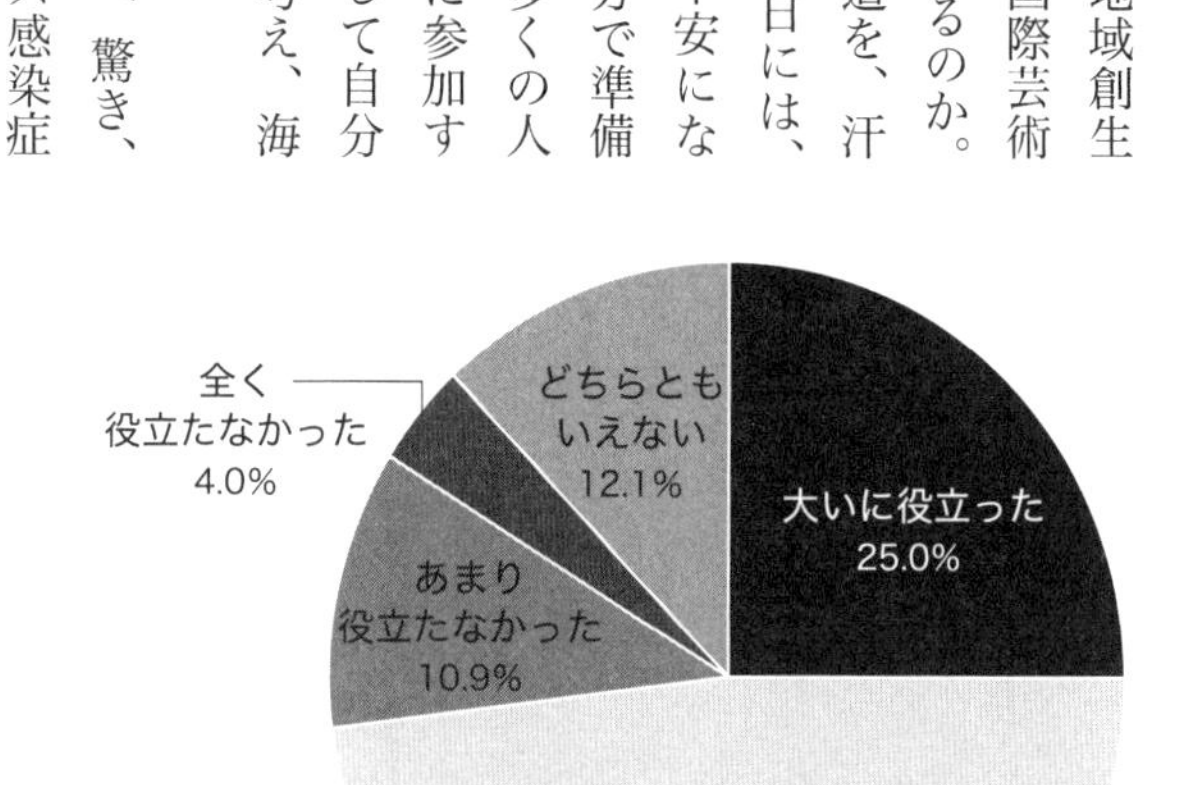

図終・1　2022第5回芸術祭における住民の評価
（出典：2022総括報告より筆者作成）

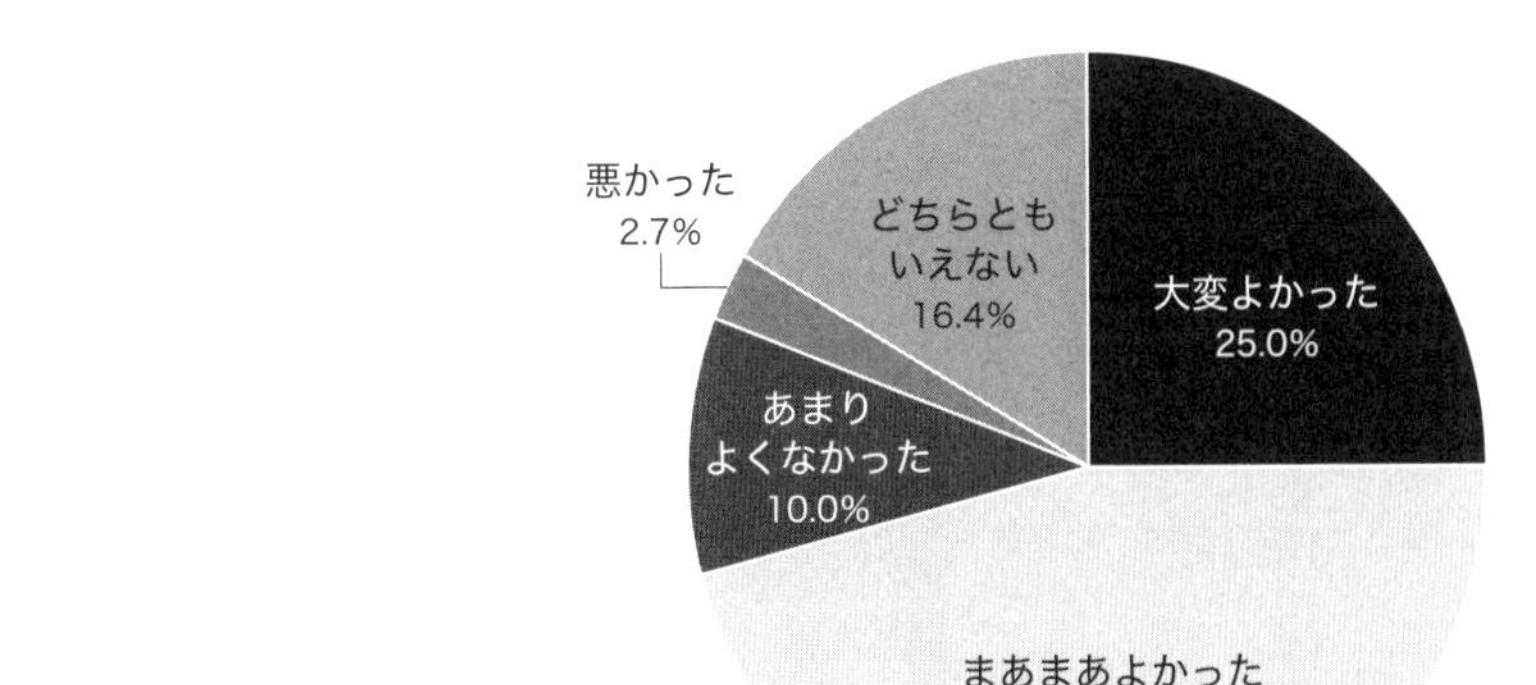

⑵自分が住む地域に
作品が設置されてよかったか

どちらともいえない
2.3%
大いにあった
8.1%
少しはあった
26.0%
全くなかった
50.7%
あまり
なかった
12.9%

⑶作家や来場者との交流の有無

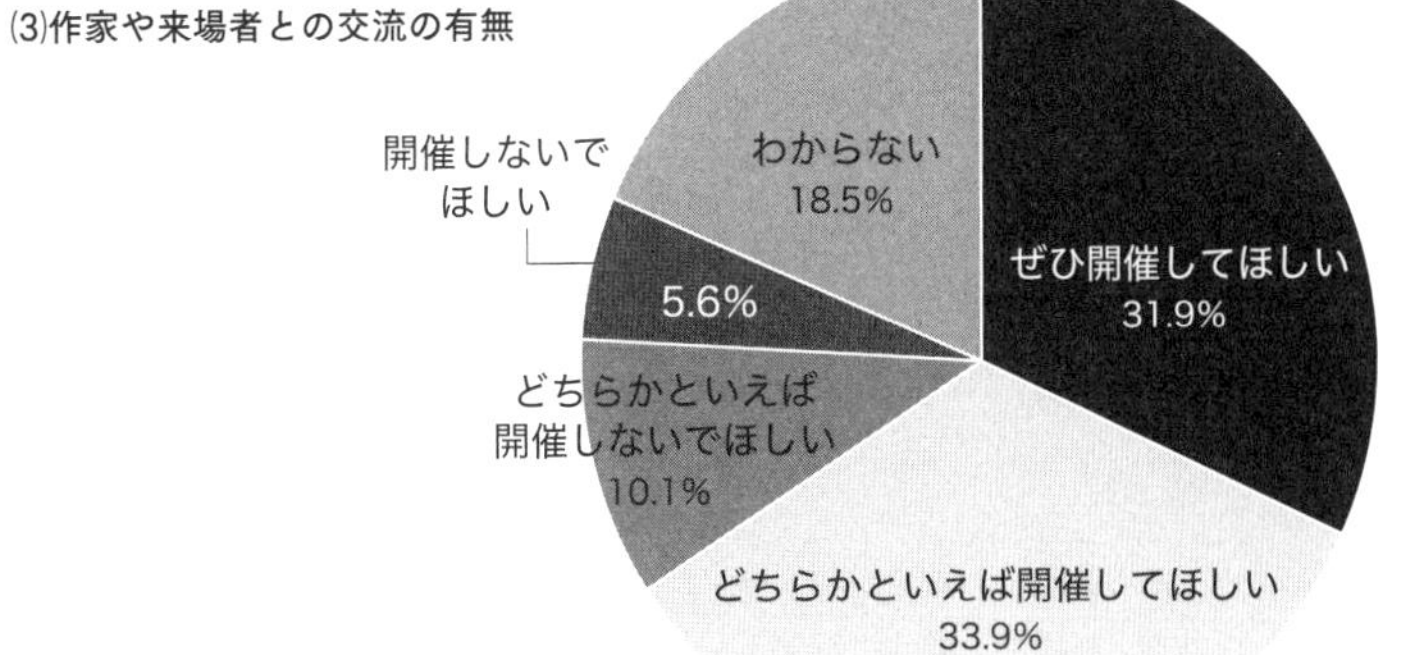

⑷次回開催への希望

分の住む地区に設置されることについては、71％の住民が「大変良かった」「まあまあ良かった」と回答した。（図終・1⑵）また、作家や来場者と交流が「大いにあった」「少しはあった」と回答した住民は34％（図終・1⑶）、今後も芸術祭を「ぜひ、開催してほしい」「どちらかと言えば開催してほしい」と答えた住民は66％いた。（図終・1⑷）交流は減少したものの、肯定的な回答が前回より増加した。

瀬戸内国際芸術祭は12年、5回を数える。その実績を踏まえ、同芸術祭が人々を魅了する理由、芸術祭の楽しさ ― すなわち、なぜ、この芸術祭は成功しているのか、その要因を整理しておく。

1　瀬戸内国際芸術祭の楽しみ

旅の楽しみ

瀬戸内国際芸術祭では、来場者はアートを道しるべに瀬戸内海の島々を巡る。美しい風景とそこで育まれた文化や暮らしに遭遇する。大きな自然と先端芸術が融合する現代アートの祭典である。

海を渡る旅の楽しみも瀬戸内国際芸術祭の大きな魅力の一つ（筆者撮影）

新型コロナウィルス感染症の影響下にあった第5回芸術祭を除けば、アーティストは制作現場の島を訪れる。そこに滞在し、瀬戸内海の多島美、島の歴史や自然、人々の生業、伝統ある生活文化や食文化を実体験する。その間、島の人々の話に耳を傾ける。そうしてさまざまなことを感じ、考え、創作を始める。しばしば住民やボランティアサポーターと協働し、制作に取り組む。

来場者もまた、海を渡る。風と光を感じ、島独特の風土と伝統的文化に出合う。そのすべてを身体で受け止めながら作品を鑑賞する。瀬戸内国際芸術祭は、作品の展示場 ― その仕掛けが素晴らしい。会場を船で巡る非日常性も、他の芸術祭にない魅力である。芸術祭に「旅する楽しさ」が詰まっている。

世界トップレベルのアーティストが揃う。それもこの芸術祭の強さである。卓越した才は、アートや建築をとおして島の文化や歴史、自然を際立たせる。訪れる季節、天候、時刻によって島の景色や色合いが変わる。それに呼応して作品が変化する。それゆえ、別の機会に繰り返し訪ねたくなる。サイトスペシフィックなアートの臨場感は、実際に訪ねて体験し、ようやく会得できる。

再訪の楽しみ

2019年第4回芸術祭では、リピーターが41％に達した。再訪意向を問うアンケート調査に、「ぜひ、また来たい」「来たい」と答えた人が86％いた。第5回は、新型コロナ禍の影響下、来場者は減少したが、リピーターの割合は55％と増加した。92％が「ぜひ、また来たい」「来たい」と回答していた。開催の都度、再訪意欲が高まる。それが瀬戸内国際芸術祭の持続性につながっている。

なぜ、人々は、繰り返し訪れるのか。毎回、新しい作品が出展される。前回とは別のイベントがある。会場は12の島々に広がる。どのように島巡りをするか、いくつもの選択肢がある。島内巡りも、歩く、自転車を借りる、乗り合いバスを使うなど移動手段を駆使して作品にたどり着く。島の人々と出会い、語らい、再訪を約束して島を離れることもある。都会からの来場者同士が挨拶し、おしゃべりし、淡い仲間意識を醸成されることもある。こうした旅先での偶然の出会いは、人々を緩やかに結びつける。それがまた、「次の芸術祭にも来たい」という思いを育む。

家プロジェクト「石橋」千住博“空の庭”襖絵
(空間デザイン：千住博、秋元雄史／修復監修：福武總一郎、本多忠勝／写真：渡邉修)

同じ場所に繰り返して足を運ぶ旅には、「思い出を旅する」という心情が宿る。過去の体験や心に残る旅先の印象を、再確認するために再び訪ねる。そこにはノスタルジアがある。安らぎがある。島の人々と恒久設置された作品に、「お帰りなさい」と迎えられる安堵感がある。

島民も作品も、年輪を重ねる。豊島と小豆島に設置された青木野枝氏の作品は、鉄組みである。時を経て錆が濃くなる。そして少しずつ周囲に溶け込む。

瀬戸内国際芸術祭が始まる前年の2009年に公開された、直島の家プロジェクト「石橋」の母屋の襖に描かれた「崖」は、銀泥を使って描かれている。銀はしだいに黒く変色する。作者の日本画家・千住博氏は、銀が変色する様を通して「時間の経過」を表現する

三宅之功「はじまりの刻」(筆者撮影)
陶の割れ目から植物が芽吹き、卵に生命が宿っているようである。

ことを考えた。「銀は明るい白色からどんどん酸化し黒変していきます。ですから、まるで夜明けから昼を過ぎて夜に至るようにこの作品は変化します。数十年後には、この作品は漆黒の闇の風景画になるでしょう。私たちも変わる。作品も変わる。今年見た体験と、来年の体験は決して同じではありません[注1]」。

作品の変容を鑑賞する、という再訪の仕方もある。

「はじまりの刻」は、2022年夏会期から小豆島の小高い丘に設置されている。高さ3・9メートル、幅2・3メートルの、卵型をした作品である。夏会期の最終日には、陶の割れ目に土の小さな堆積ができていた。そこに野草が芽吹く。あらかじめ「卵に草が生えて命を宿す」

ことを考えた作品である。今後、さらにどのような卵（生命の揺籃器）に変容するのか、それを楽しみに訪れる人がいる。

美術館にある好きな作品を、繰り返し鑑賞に行く、という人もいる。しかし、野外の、海と島の芸術祭には、美術館とは違う、新しいアートの発見の仕方がある。それは絶えず変容するオブジェを、時間間隔を置いて鑑賞し、流転する社会、あるいは自分自身をオブジュに重ね合わせて哲学する、というアート活動である。

アートを契機に社会と向き合う

瀬戸内国際芸術祭の会場には、「負の歴史遺産」になった現場がある。2章で記したが、産業廃棄物が不法投棄され、環境汚染や風評被害に曝された豊島、ハンセン病療養所の島として90年間、社会から隔離された大島である。直島や犬島も、明治、大正時代に開発された銅の製錬所から吐き出される煙の害毒に悩まされた。昨今も、離島には高度成長、一極集中の歪みが過度に集積する。人口減少が急である。地域産業が衰退し、地域活力やコミュニティが脆弱になっている。芸術祭は、各島が抱えるそうした社会的、経済的な課題にも向き合う。

北川氏は、芸術祭を開催したいと思う場所は、「絶望的な場所」という。コシヒカリの産地として知られるが、豪雪地帯で冬が長く、震災もあった新潟県の越後妻有。遣唐使、渤海使、北前船など日本海の海上交通の拠点都市として栄えたが、いまは能登半島の先端で人口減少が進む石川県珠洲市。豊かな清流と森林に囲まれた広い扇状地にあるが、縮小都市になった長野県大町市。北川氏がディレクターを務める芸術祭の開催地域では、共通して過疎と高齢化の波が押し寄せ、コミュニティの弱体化が進む。しかし、歴史と風土に育まれた独自の、魅力溢れる生活文化が残る。芸術祭では、そこに現代アートが飛び込む。

瀬戸内海を終生の研究テーマにした民俗学者の宮本常一は、自叙伝『民俗学の旅』のなかで次のように述べている。「長い道程の中で考え続けた一つは、一体進歩というのは何であろうか。発展とは何であろうかということであった。全てが進歩しているのであろうか。（中略）進歩に対する迷信が、退歩しつつあるものをも進歩と誤解し、ときにはそれが人間だけでなく生きとし生けるものを絶滅にさえ向かわしめつつあるのではないかと思うことがある。（中略）進歩のかげに退歩しつつあるものを見定めてゆくことこそ、われわれに課せられている、もっとも重要な課題ではないかと思う[注2]」。

50年前に綴られたが、その筆致は、今を生きる私たちの心に響く。離島に住む人々が安心し、笑顔で暮らすことができる島にするためには何が必要か。コミュニティの崩壊を放置してはいけない。

2 瀬戸内国際芸術祭、成功の要点

地域の強さを最大限にする

どの土地にも個性がある。野外で繰り広げる芸術祭は、土地の個性と共振することが大切である。瀬戸内の場合、穏やかな海、そこに点在する島々である。その風景 ― 棚田、坂道、石垣、そして島々の、それぞれに違う生業 ― 醤油の醸造、オリーブオイルの生産、魚介の加工業、が独特である。瀬戸内国際芸術祭は、そうした「地域の強さ」を存分に包摂し、世界的にも類例のない規模の野外型芸術祭を実現した。

ブレないコンセプト

芸術祭の主題を変えない。主題には、芸術祭の理念が凝縮して表現される。それが定まらないと、芸術祭のステークホルダーに戸惑いが生じる。作品の制作でも、作家に迷いを抱かせる。瀬戸内国際芸術祭の主題は「海の復権」である。第1回から第5回まで変わらない。「海」は瀬戸内、「復権」には、「ここには誇るべき歴史と伝統があった」がいまはその影が薄い ― それらを、芸術祭をテコに取り戻す／甦らせる、という決意が込められている。

社会の課題に正面から取り組む

現代アートは主張する。決して芸術至上主義ではない。社会、経済、文化、そして政治にしばしば対峙して立ち上がる。過去の過ちを掘り起こして曝け出す。そして鑑賞者に歴史認識を問いかける。瀬戸内国際芸術祭では、日本の近代資本主義の「負」が提示され、同時に今日の社会課題（過疎化、環境汚染、格差）が作品に描かれる。内外からの来場者がアートを通じて「同時代性」を確認する機会になる。そこに仲間意識が生まれる。そのつながりを通して「また、次回来ます」の再訪動機が増幅する。社会にこうして対峙することは、瀬戸内国際芸術祭の戦略であり、魅力でもある。

アートの質

国際芸術祭を冠し、国内外から多くの人を惹きつけることを目指す以上、出品されるアートは一流である。そこには、「（多少、レベルが低くても）地元の作家の作品を展示せよ」といった狭量な地域主義が介在する余地はない。自然がどれほど豊かでも、土地の文化がいかに素晴らしくても、来訪の目的は、単なる旅行ではない。アートの探索と鑑賞である。鑑賞に堪える芸術性が要求される。

瀬戸内国際芸術祭は、出品する作家の選択を、総合ディレクターに一任している。それには賛否両論あるが、これまでのところ成功している。毎回、総合ディレクターを交代する、あるいはチーム制にする、という開催手法もあり得る。芸術祭の目的と地域の事情を熟慮し、だれにするか、どちらにするか（1人に専任か、チームか）を決めることになる。

真の協働の実現

協働は、いろいろな特性を持つ主体が相互に尊重し合い、不足するところを補完し、共通の目標に向かって歩むことである。そこでは、常に責任と役割分担を明示し、確認することが重要である。地域型芸術祭は、地域のステークホルダーをできる限り広範囲に誘い込むことが成功につながる。しかし、その際、ステークホルダー間の責任と役割分担を明確にし、相互に確認することはなかなか厄介である。地方には、それまでのしがらみがある。内に篭もって外来を嫌う風儀がある。それらを克服しなければならない。

瀬戸内国際芸術祭では、協働のマネジメントが円滑である。実行委員会会長である香川県知事のもと、事務局スタッフの人選、県と市町、民間団体、ボランティアサポーターとの連携に工夫がある。芸術祭の利益をどのように地域間で共有するか、主催者が、常々、知恵を絞っていることも「真の協働の実現」につながっている。

財源の多角化

資金の切れ目がイベントの終わりになる事例がしばしばある。芸術祭の持続可能性は、当然、安定し

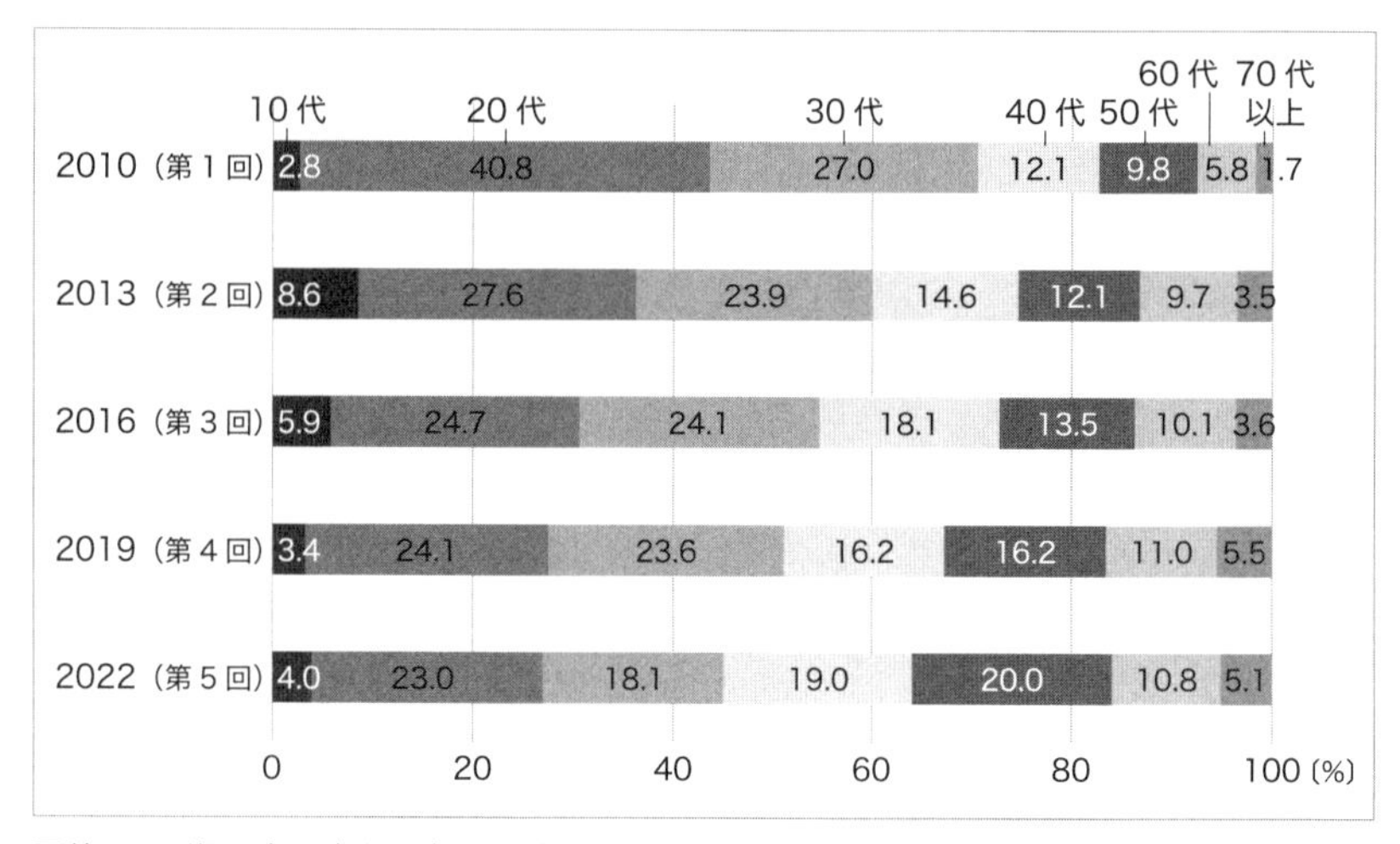

図終・2　瀬戸内国際芸術祭来場者年代層の変化（出典：各回総括報告より筆者作成）

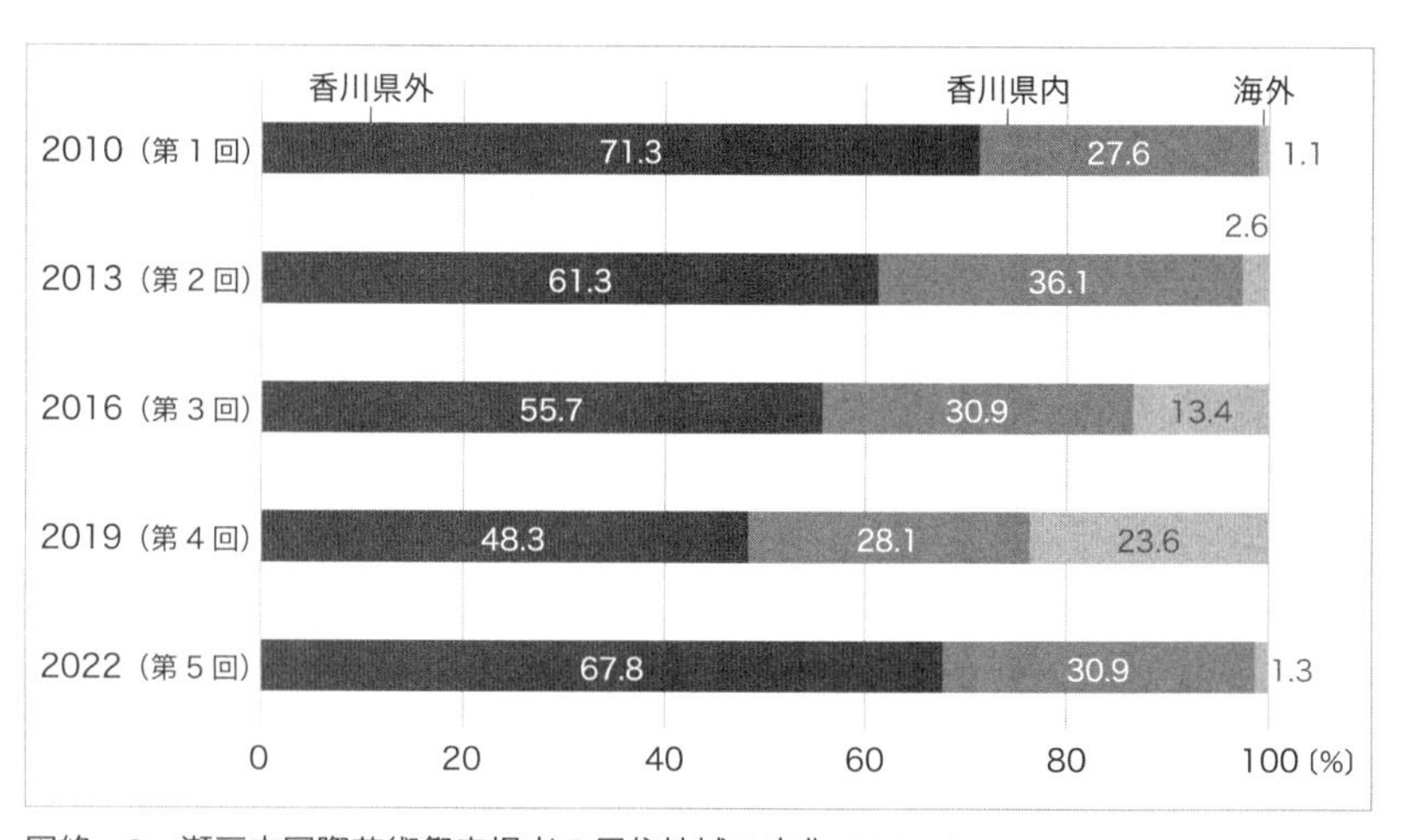

図終・3　瀬戸内国際芸術祭来場者の居住地域の変化（出典：各回総括報告より筆者作成）

た財源の確保にある。その際、資金先を多様化することが大切である。瀬戸内国際芸術祭は、官民の資金源がしっかりしている。公的資金（県、関係市町、国などの補助金・助成金）、民間資金（福武財団、企業／個人の寄付金・協賛金）、それに加えてチケット・グッズの販売、その収入の構成バランスがよい。

来場者の多様化

２０１０年第1回の芸術祭では、来場者は30代以下が70％を占めた。最多が20代の女性だった。それが回を重ねるごとに、来場者は多世代に広がっている。２０２２年第5回では、各年代、ほぼ均等に来訪するようになった（図終・2）。来場者の居住地域も、多様化している。新型コロナウィルス感染症で移動規制が厳しかった第5回を除けば、香川県外、香川県内、海外がほぼ3分の1ずつに近くなってきた（図終・3）。

この来場者の多様性は、瀬戸内国際芸術祭の間口の広さを示している。

芸術祭が住民の「自分ごと」になる

地域型芸術祭では、地域社会がアート作品とその作家の受け皿になる。来場者の受け手になる。地域の人々が関与し、さらには意欲的、積極的に参加し、主要なステークホルダーにならなければならない。さもなければ、作家も作品も、来場者も、地域社会の闖入者に終わる。そして闖入者が私道に迷い込む、すれ違っても挨拶をしない、垣根越しに庭の写真を撮ってプライバシーを侵す、ゴミを散らかす、と地域社会に不満が募る。そうなれば芸術祭は島の厄介ものになる。

しかし、地域社会がひとたび、「受け皿」「受け手」の受動的な立ち位置を超克し、同時に「皿（祭）に盛り付ける」側、「出し手（祭の担い手）」になれば、芸術祭に対する地域社会の評価は好転する。島民が芸術祭を「自分ごと」として理解し、さらには積極的に参加するようになる。そのためには、仕掛けやきっかけがいる。島民がそれをつくることも大切だが、やはり行政や作家、プロデューサー、ディレクターに、仕掛けを用意することが求められる。その誘いに地域の人々がどのように応えるか、そういう流儀を通して地域型芸術祭は成功裡につながる。

通年化と地域のまちづくり政策

どれほど大きな芸術祭でも、3年ごとの開催では、そのインパクトに限界がある。次回の芸術祭までの間をつなぐイベントや活動が必要である。瀬戸内国際芸術祭では、芸術祭の会期外においても、アートを通して地域の活力を取り戻し、再生を目指す「ＡＲＴ ＳＥＴＯＵＣＨＩ」の活動がその役割を果たしている。また、作品の恒久展示が橋渡しを務めている。

高松市が取り組む芸術士派遣事業や大島のサマーキャンプのように、まちづくり計画や教育カリキュラムを連動し、地域社会を芸術祭にもっと強力に結びつける。さらには芸術祭を地場産業の育成、ニュービジネスの揺籃に活用する。

財源や人的資源の確保が最大の課題になる。瀬戸内国際芸術祭は、実行委員会方式で運営されている。しかし、ノウハウの蓄積、人材育成などを考えた時、70年、100年と続くことを目指すならば、ドイツ・ドクメンタ芸術祭やヴェネツィアン・ビエンナーレのように、芸術祭の専門組織集団[注3]が必要になるかもしれない。

短期的な成功と長期的な展望

行政評価は、とかく定量的な成果を求める。しかも、短期的に結果を出すことを要求する。芸術祭では、来場者の数、そして地域に及ぼす経済波及効果などで語られる成果である。それはそれで重要だが、そこに止まってはいけない。

まちづくりや地域創生は、長期的にものごとを考えなければならない。芸術祭を住民の文化意識の向上につなげる、というような視点からは、定性的な、したがって多元的な検証が必要になる。住民が地域の文化や伝統を再発見し、愛着を強めることにつながっているか、定住者の増加を含めて地域社会の新たな担い手が育つ契機になっているか、歴史遺産の保存、そして次世代への継承が促されているか、島の内外にどのような交流／関係ネットワークが構築されたか。それらを丁寧に検証する作業が欠かせない。それらを含めて芸術祭を総合評価することが肝要である。

そのためには、4年に一度選挙のある行政の首長にそれなりの胆力が求められる。首長が変わるたびに方針が変わっていては、芸術祭は地域に根づかない。実際のところ香川県は、瀬戸内国際芸術祭の開催を決めた2008年から2022年11月第5回芸術祭の終了までに、実行委員会会長を務める知事は

3代にわたる。それでも芸術祭を長期的に、総合的に評価し、さらに発展強化する、という方針は一貫し、揺るぎがない。2022年9月に知事に就任、同時に芸術祭の実行委員会会長となった池田豊人知事は、第5回芸術祭の閉会式（2022年11月6日）で挨拶し、「瀬戸芸は、県民が瀬戸内の力を思い出す祭典になっている」と述べ、「この力を次の、そのまた次の香川の発展につなげたい」と宣言した。[注4] 知事として瀬戸内国際芸術祭を継承することが、義務ではなく、誇りになっている。

3 ソーシャルイノベーションとしての瀬戸内国際芸術祭

瀬戸内海の離島の現状は厳しい。民俗学者の宮本常一が「地域社会に住む人たちがほんとうの自主性を回復し、自信をもっていきてゆくような社会を作ってもらいたいと念願してきた」と記したのは1978年である。[注5] それから半世紀近く経つ。東京一極集中の裏面で地域社会は、ますます自主性と自信を喪失し、持続可能性が危うくなっている。

しかし、瀬戸内国際芸術祭は、そうした時流に抗って善戦している、というのが本書の見立てであ

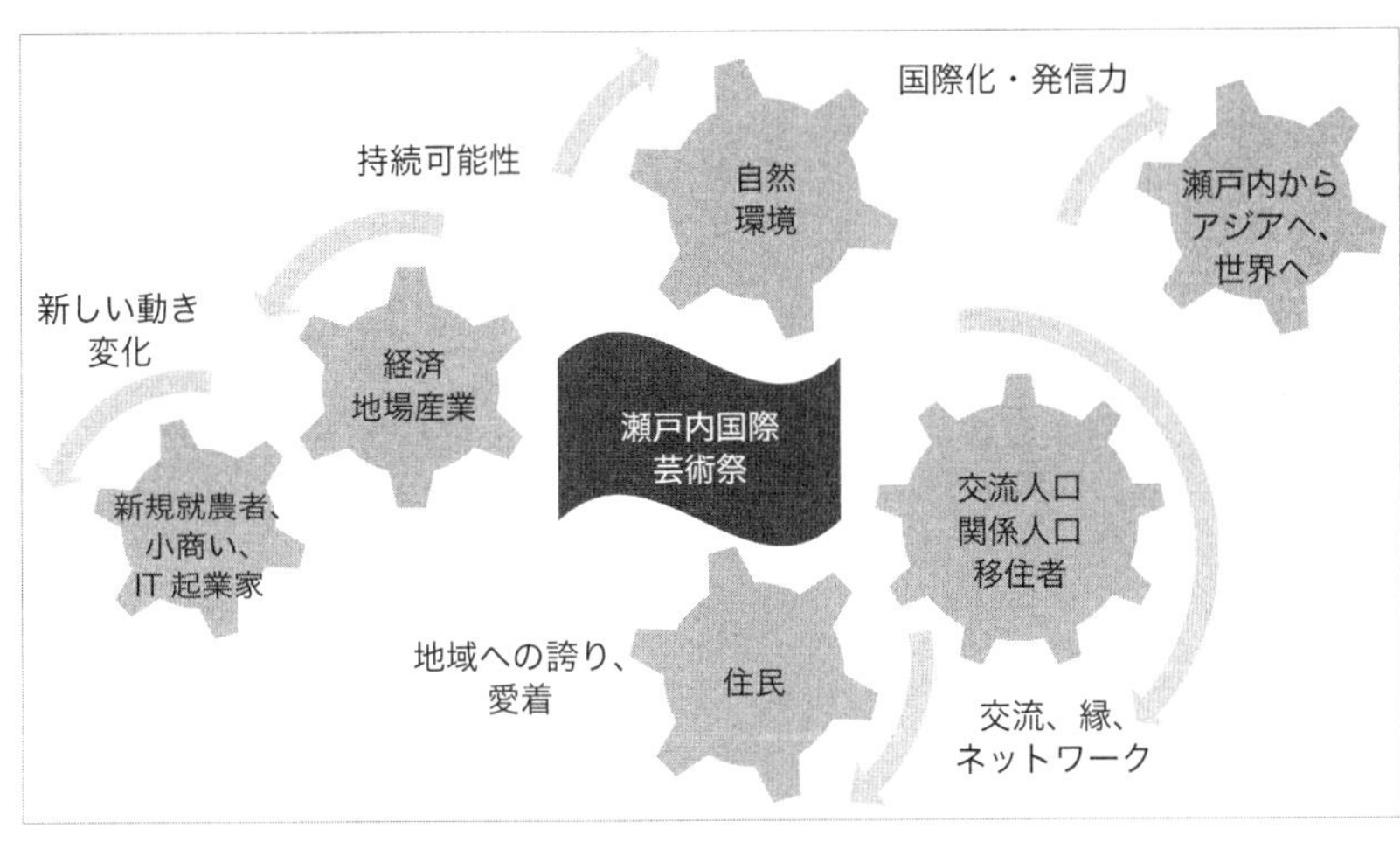

図終・4　瀬戸内国際芸術祭によるソーシャルイノベーション（出典：筆者作成）

る。アーティストは、地域の風土や歴史を知り、そこに暮らす人々の話を聞き、知恵を学び、それを形にする。それらのプロセスの中で、地域の魅力が再発見され、地域の人々の自信や誇りが呼び戻される。来場者もまた、アートを通して瀬戸内の島々の自然や生活、風土をより深く感じる。アーティストと住民、来場者と住民、こえび隊と住民、こえび隊と来場者をはじめ、地域内外さまざまな人と人の交流が起こり、島と島の交流も始まった。国際的な発信力も高まっている。

地域の魅力と資源を発見し、それを磨く活動を通して多くの人が集まる。地域に住む人たちが揺り動かされたときに、新しいことが起こる。地域の人々が再び地場産業を元気にする取り組みを始め、新たにやってきた人たちが起業をする。さらに、その中から新しい活動の連鎖が起き、地域を変える可能性が高まっている（図終・4）。

瀬戸内国際芸術祭を契機に、新たな考え方や仕組みで経済や社会を変えていく「ソーシャルイノベーション」

が起こりつつあると言えるのではないだろうか。現代アートは、同時代を生きる人々に、視点や価値観の変容をもたらす「外部の目」の役割を果たす。もちろん、地域の人々の暮らしが大きく変化したわけではない。むしろそこで長い時をかけて育まれてきたものを、視点を変えてとらえ直すことで、価値を再発見し、現代社会に揺さぶりをかける。

芸術祭が、コミュニティの再生、教育、産業、観光などにつながり、地域の内側から未来をひらく契機となるためには、活動を通して住民、地元自治体、地域とかかわりを持つ人々が、共に課題を発見し、その解決に力をあわせることが欠かせない。大切なことは、そこに暮らす人々が、互いに支え合い、心豊かに暮らす日常である。「地域社会に住む人たちがほんとうの自主性を回復し、自信をもって生きてゆく」ための希望となることが、瀬戸内国際芸術祭の目的そのものなのだから。

■注

はじめに

1　戦後の復興期に始まった東京ビエンナーレから半世紀が経ち、新しいフレームや仕組みを実験する場としての「東京ビエンナーレ」を、一般社団法人東京ビエンナーレ主催で2021年からスタートした。

2　藤川哲（2008）「場の創出―『アジア太平洋トリエンナーレ』におけるキッズAPTの試み」暮沢剛巳、難波祐子編著『ビエンナーレの現在―美術を巡るコミュニティの可能性―』青弓社、195〜233頁

3　室井研二（2013）「離島の振興とアートプロジェクト―『瀬戸内国際芸術祭』の構想と帰結―」『地域社会学会年報』25巻、93〜107頁

1章

1　宮本常一（2018）『瀬戸内文化誌』八坂書房、12頁（初出：宮本常一（1976）『日本に生きる』6―瀬戸内海編、国土社）

2　2022年5月19日、オンラインにて、筆者インタビュー

3　2022年1月27日、東京都内にて、筆者インタビュー

4　小泉元宏（2012）「地域社会に『アートプロジェクト』は必要か？―接触領域としての地域型アートプロジェクト―」『地域学論集：鳥取大学地域学部紀要』9巻2号、77〜93頁

5　谷口文保（2019）『アートプロジェクトの可能性―芸術創造と公共政策の共創―』九州大学出版会、11頁

6　熊倉純子監修（2014）『アートプロジェクト―芸術と共創する社会―』水曜社、9頁

7　野田邦弘（2014）『文化政策の展開―アーツ・マネジメントと創造都市―』学芸出版社、109頁

8　吉田隆之（２０１９）『芸術祭と地域づくり―〝祭り〟の受容から自発・協働による固有資源化へ―』水曜社、18頁

9　ブリタニカ国際大百科事典小項目事典

10　暮沢剛巳、難波祐子編著（２００８）『ビエンナーレの現在―美術を巡るコミュニティの可能性―』青弓社、12頁

11　加治屋健司（２０１９）「世界と日本における芸術祭の歴史と文脈」アートラボあいちトリエンナーレスクール Vol. 14、https://aichitriennale.jp/ala/project/2019/c-004430.html

12　渡辺正範（２０１７）「大地の芸術祭 越後妻有アートトリエンナーレ」全国市町村国際文化研修所『国際文化研修』94号、28～31頁

13　北川フラム（２０１４）『美術は地域をひらく：大地の芸術祭10の思想』現代企画室、２２２頁

14　ＮＰＯ法人越後妻有里山協働機構聞き取り

15　鷲見英司（２０１４）「大地の芸術祭とソーシャル・キャピタル」澤村明編著『アートは地域を変えたか―越後妻有大地の芸術祭の十三年　２０００－２０１２―』慶應義塾大学出版会、63～99頁

16　ソーシャルキャピタルという言葉を初めて用いたのは、アメリカの教育学者ハニファン（L. J. Hanifan）で、１９１６年、善意、仲間意識、相互の共感、社会的交流などをソーシャルキャピタルとし、学校を成功に導くためにコミュニティの関与が重要であることを指摘した。その後、ジェイコブズ（Jane Jacobs）が、都市計画の分野で、都市部の社会的ネットワークなどをソーシャルキャピタルと表現し、その重要性を説いた（*The Death and Life of Great American Cities*, 1961（邦訳『アメリカ大都市の死と生』））。アメリカの政治学者パットナム（Robert D. Putnam）は、ソーシャルキャピタル概念を用い、南北イタリアの地方政府制度のパフォーマンスの違いを説明し、ソーシャルキャピタルとは、「信頼」「規範」「ネットワーク」といった社会制度の特徴であり、人々の協調行動を促すことにより、社会の効率を高めるものとした。（*Making Democracy Work*, 1993（邦訳『哲学する民主主義』））

17　パットナム（Robert D. Putnam）はソーシャルキャピタルを構成する要素として、「信頼」「規範」「ネットワーク」を挙げ、これら三つの要素がそれぞれどのような特徴を持っているかを分析することで、コミュニティが「結束型」ないし「橋

渡し型」のどちらの要因をより顕著に持っているかを分類することができるとした。結束型のソーシャルキャピタルというのは、組織の内部における同質性の高い人びとの結びつきで、強い紐帯でつながり、内部で信頼や協力、結束を生むものである。他方、橋渡し型は、異なる組織間における異質な人や組織を結び付けるネットワークであるとされている。開放的で、弱い紐帯が形成されやすく、社会的属性や意見の異なる他者との相互作用の機会が生まれる。

2章

1 国土交通省中国地方整備局港湾空港部「瀬戸内海の定義」

2 環境省「瀬戸内海［せとうちネット］」

https://www.env.go.jp/water/heisa/heisa_net/setouchiNet/seto/g2/g2cat01/index.html

3 北川建次、関太郎、髙橋衞、印南敏秀、佐竹昭、町博光、三浦正幸編（2007）『瀬戸内海事典』南々社、52～54頁

4 シーボルト著、斉藤信訳（1967）『江戸参府紀行』平凡社、121頁

5 フェルディナンド・フォン・リヒトホーフェン著、海老原正雄訳（1943）『支那旅行日記』上巻、慶応書房、16頁

6 ピアーズ・ブレンドン著、石井昭夫訳（1995）『トマス・クック物語―近代ツーリズムの創始者―』中央公論社、249～250頁

7 西田正憲（1997）「瀬戸内海における多島海景の変遷と脇水鐵五郎・田村剛の視覚」『ランドスケープ研究』60巻5号、425～430頁

8 小西和著、阿津秋良口訳（1997・1998）『瀬戸内海論』上下巻、海南文庫顕彰会

9 1章注1、宮本常一に同じ。

10 吉田東伍（1923）「瀬戸内海権史論」『日本歴史地理之研究』冨山房、667頁

11 魚澄惣五郎（1952）「研究課題としての瀬戸内海地域」魚澄惣五郎編『瀬戸内海地域の社会史的研究』柳原書店、

２６０～２６５頁

12　直島観光協会、直島町観光入込客数（延べ人数）２０１９年、75万１３０９人
https://naoshima.net/wp-content/uploads/2021/01/759371ecf86dd6b4d13aaa5397e47087.pdf

13　２０２０年4月1日、住民基本台帳

14　直島町史編纂委員会編（１９９０）『直島町史』７３３頁

15　直島町ホームページ https://www.town.naoshima.lg.jp/smph/about_naoshima/shisetsu/index.html

16　岡山市ホームページ『犬島の歴史』
https://www.city.okayama.jp/museum/inujima-story/island_05.htm

17　福武總一郎＋北川フラム（２０１６）『直島から瀬戸内国際芸術祭へ―美術が地域を変えた―』現代企画室、38頁

18　北川フラム、瀬戸内国際芸術祭実行委員会監修（２０２２）『瀬戸内国際芸術祭２０２２ 公式ガイドブック―アートと島を巡る旅―』現代企画室、73頁

19　国立ハンセン病資料館「ハンセン病問題について」https://www.nhdm.jp/about/issue/

20　森修一、阿戸学、石井則久（２０１９）「国立ハンセン療養所における入退所動向に関する研究―１９０９年から２０１０年の入退所者数調査から―」［訂正再掲載論文］『日本ハンセン病学会雑誌』88巻2号、53～75頁

21　香川県健康福祉部薬務課

22　日本弁護士連合会（２０１１）「国立ハンセン病療養所視察調査報告―資料編」３１０頁
https://www.nichibenren.or.jp/library/ja/jfba_info/organization/data/54th_keynote_report3_3.pdf

23　注22に同じ。

24　ハンセン病制圧活動サイト Global Campaign for Leprosy Elimination「ピープル・ハンセン病に向き合う人々」（２０１６）https://leprosy.jp/people/mori/

25　高松市（２０１４）「大島振興方策」

26　「北川フラム塾 芸術祭を横断的に学ぶ」第10回（ゲスト：鴻池朋子、2022・8・23）
27　注26に同じ。
28　高松市美術館『みる誕生 鴻池朋子展：記録集―高松編―』（2022）

3章

1　2022年6月11日、高松市内にて、筆者インタビュー
2　2022年4月6日、直島にて、筆者インタビュー
3　2021年7月15日、高松市内にて、筆者インタビュー
4　特定非営利活動法人瀬戸内こえびネットワーク定款
5　2022年6月11日、高松市内にて、筆者インタビュー
6　金谷信子（2014）「瀬戸内国際芸術祭における公民パートナーシップ―その利点と課題」『広島国際研究』20巻、75～91頁
7　注6に同じ。
8　清水麻帆（2017）「芸術祭を通じた持続可能な地域の在り方に関する一考察―香川・瀬戸内国際芸術祭と香港・火炭の事例比較研究―」『大正大学研究紀要』102号、319～336頁
9　2022年1月27日、東京都内にて、筆者インタビュー
10　2021年8月13日、高松市内にて、筆者インタビュー

4章

1　山陽新聞（2022・11・9）https://www.sanyonews.jp/article/1328567
2　山本暁美、川原晋、原直行（2014）「地域振興における芸術・文化活動の役割と影響―2013瀬戸内国際芸術

祭 訪問者意識調査報告―」『観光科学研究』7号、59〜64頁
3　山本暁美（2020）「瀬戸内国際芸術祭における訪問者の意識動向」『地域活性化学会研究大会論文集』12巻、214〜217頁
4　2022年7月31日、小豆島にて、筆者インタビュー
5　冨田将友（2013）「丸亀市塩飽本島町笠島伝統的建造物群保存地区 丸亀市塩飽本島町笠島のまち並保存に向けて」『文化庁月報』537号
6　勝村文子他（2008）「住民によるアートプロジェクトの評価とその社会的要因―大地の芸術祭 妻有トリエンナーレを事例として―」『文化経済学』6巻1号、65〜77頁
7　室井研二（2013）「離島の振興とアートプロジェクト―『瀬戸内国際芸術祭』の構想と帰結―」『地域社会学会年報』25巻、93〜107頁
8　原直行（2021）「住民による瀬戸内国際芸術祭の評価―豊島を事例として―」『香川大學經濟論叢』93巻4号、301〜343頁
9　2022年7月31日、小豆島にて、筆者インタビュー
10　2022年11月6日、オフィシャルツアーにて
11　特定非営利活動法人瀬戸内こえびネットワーク「2021年度活動報告書」

5章

1　小豆島町企画財政課「人口・世帯数・面積」2022年3月1日現在（2020年国勢調査確定値に基づく推計人口）
2　土庄町企画財政課「離島と地区別の人口について」2020年10月1日現在（2020年国勢調査）
3　大塚一歩（2020）「住民と移住者、双方の思いに寄り添う定住支援―毎年五〇〇人がUIJターンする島で」『しま』63巻3号、30〜35頁

4　香川県政策部地域活力推進課、香川移住ポータルサイト「かがわ暮らし」https://www.kagawalife.jp
NPO法人トティエ「島暮らしナビ」https://shimagurashi.jp/
5　高松市、住民基本台帳登録人口、2023年3月1日現在
6　前出、室井研二（2013）
7　瀬戸内国際芸術祭実行委員会「瀬戸内国際芸術祭2010総括報告」（2010・12・20）
https://setouchi-artfest.jp/files/about/archive/general-report2010.pdf
8　一般社団法人地域活性化センター「2022地方創生フォーラムin香川」パネルディスカッション「瀬戸内国際芸術祭がつむいだ人・地域の〝縁〟について」（2022・10・5）
9　額賀順子（2018〜2022）「男木島図書館ができるまで。」『せとうちスタイル』8巻〜14巻
10　NPO法人アーキペラゴ http://www.archipelago.or.jp/
11　前出、金谷信子（2014）、清水麻帆（2017）

6章

1　株式会社富士通総研（2018）平成29年度文化庁委託事業「我が国で開催される文化芸術のフェスティバルの実態等に係る調査報告書」
2　瀬戸内国際芸術祭実行委員会「瀬戸内国際芸術祭2019総括報告」（2020・2・4）
https://setouchi-artfest.jp/files/about/archive/report2019.pdf
3　株式会社日本政策投資銀行四国支店（2019）「東アジア3地域の瀬戸内国際芸術祭に関する意向調査―来訪者の関心を『瀬戸芸』から『四国』へ拡げ、地域経済効果を高める―」
4　原直行（2020）「瀬戸内国際芸術祭におけるインバウンド観光客の実態分析」『地域活性学会研究大会論文集』12巻、218〜221頁

5　*ARCHITECTURAL DIGEST*（July 25, 2018）
https://www.architecturaldigest.com/story/setouchi-japan-design-travel-guide

6　*Fodor's Travel*（November 12, 2018）https://www.fodors.com/news/photos/fodors-go-list-2019）

7　*The Guardian*（November 16, 2018）
https://www.theguardian.com/travel/2018/nov/16/the-japanese-beach-that-became-an-instagram-sensation

8　*The New York Times*（January 9, 2019）
https://www.nytimes.com/interactive/2019/travel/places-to-visit.html

9　*The New York Times*（November 12, 2019）
https://www.nytimes.com/2019/11/12/travel/52-places-to-go-setouchi-islands-japan.html

10　注２に同じ。

11　２０２２年１月27日、東京都内にて、筆者インタビュー

12　南海区政府サイト http://www.nanhai.gov.cn/fsnhq/bmdh/zfbm/qgzj/xxgkml/gzdt/content/post_5455116.html

13　南海旅游（２０２３・１・28）南海、人山人海！新春旅游收入超９・５亿元！
https://www.sohu.com/a/635039025_121123721

14　大地の芸術祭ＨＰ、孫倩氏「中国での「大地の芸術祭」開催という夢へ」
https://www.echigo-tsumari.jp/media/200117-son/

15　中国孔子網（２０２２・10・31）「沂源桃花岛：艺术活化乡村绘新景 文化振兴乡土谱新篇」
https://www.chinakongzi.org/zt/5737/chuancheng/202211/t20221102_554016.htm

16　台湾東海岸大地芸術祭 https://www.teclandart.tw/ja/about2022ja/

17　「世界銀行はなぜ、芸術祭に注目するのか」（２０２２・２・25）https://www.artfront.co.jp/jp/news_blog/

7章

1　3章注6、金谷信子に同じ。

2　室井研二（2012）「瀬戸内国際芸術祭の住民評価とその規定因」香川大学瀬戸内圏研究センター編『瀬戸内海観光と国際芸術祭』美巧社、4〜57頁

3　4章注7、室井研二に同じ。

4　吉澤弥生（2019）「アートはなぜ地域に向かうのか──『社会化する芸術』の現場から──」『フォーラム現代社会学』18巻、122〜137頁

5　藤田直哉編著（2016）『地域アート──美学／制度／日本──』堀之内出版、35頁

6　1章注4、小泉元宏に同じ。

7　瀬戸内国際芸術祭実行委員会「瀬戸内国際芸術祭2022総括報告」（2023・2・9）
https://setouchi-artfest.jp/seto_system/fileclass/img.php?fid=press_release_mst.2023020817473353026fa8191cb15baa4fc5040cf0bea1

8　澤村明（2014）『アートは地域を変えたか──越後妻有大地の芸術祭の十三年：2000─2012』慶應義塾大学出版会、163〜169頁

9　6章注1、富士通総研に同じ。

10　注7、瀬戸内国際芸術祭実行委員会に同じ。

11　瀬戸内国際芸術祭2022作品公募要項（2020・5・25）
https://setouchi-artfest.jp/seto_system/fileclass/img.php?fid=news_new_mst.20200917150836ac65be43c678f19096b4a86f0d0c2648

12　井上忠司（1995）「集いの人間関係」『宴会とパーティー──集いの日本文化──』都市出版、193〜223頁

13　こえび隊、瀬戸内国際芸術祭2013参加者アンケート

14　注5、藤田直哉、41頁
15　中村葉子（２０１４）「なぜアートはカラフルでなければいけないのか─西成特区構想とアートプロジェクト批判」『インパクション』１９５号、インパクト出版会、70〜76頁
16　宮本結佳（２０１８）『アートと地域づくりの社会学─直島・大島・越後妻有にみる記憶と創造─』昭和堂、41頁
17　鷲田めるろ（２００９）「アートプロジェクトの政治学─『参加』とファシズム─」川口幸也編『展示の政治学』水声社、２３７〜２５３頁
18　兼松芽永（２０１８）「アートプロジェクトをめぐる協働のかたち─地域活動と大地の芸術祭サポート活動のあいだ」白川昌生・杉田敦編『芸術と労働』水声社、91〜１２８頁
19　徳田剛（２０１９）「地域とアートの〝幸福な関係〟はいかにして可能か？─G・ジンメルのアイデアを参考に─」『フォーラム現代社会学』18巻、１３８〜１４８頁
20　２０２２年1月27日、東京都内にて、筆者インタビュー
21　多度津町、住民基本台帳２０２３年3月1日地区別集計

終章

1　「変化し続ける襖絵──千住博『石橋』」ベネッセアートサイト直島（２０２１・７・５）
https://benesse-artsite.jp/story/20210705-1705.html
2　宮本常一（２０００）『民俗学の旅』日本図書センター、２２８頁（底本、文藝春秋、１９７８）
3　海外のフェスティバルは中長期的な継続を前提とした法人を設立し、専門性・ノウハウを蓄積して自律的な運営を行っているものが多い。ドイツの都市カッセルで4〜5年に一度開催される国際美術展ドクメンタは、第２回目（１９５９）以降ヘッセン州とカッセル市の出資によるドクメンタ有限会社が運営を担う。ヴェネツィア・ビエンナーレは、２００９年に設立されたヴェネツィア・ビエンナーレ財団が運営を担う。アヴィニョン演劇祭は１９０１年に

設立された非営利団体によって、国、県、市等の支援を受けて運営されている。エジンバラ国際フェスティバルは、非営利の有限会社である「エジンバラ国際フェスティバル協会」が運営を担っている。

4 四国新聞（2022・11・7）

5 前出、宮本常一（2000）210頁

■参考文献

一般社団法人芸術と創造（2020）『文化庁　我が国の文化芸術フェスティバルの海外発信に関する調査及びシンポジウム運営等事業報告書』

一般社団法人芸術と創造（2021）『文化庁　我が国の文化芸術フェスティバルの海外発信に係る調査分析、シンポジウムの企画・運営委託業務報告書』

一般社団法人芸術と創造（2022）文化庁『令和3年度　我が国の文化芸術フェスティバルの海外発信に係る調査分析、シンポジウム等の企画・運営委託業務報告書』

魚澄惣五郎編（1952）『瀬戸内海地域の社会史的研究』柳原書店

大塚一歩（2020）「住民と移住者、双方の思いに寄り添う定住支援―毎年五〇〇人がＵＩＪターンする島で」『しま』65巻3号

香川大学瀬戸内圏研究センター編（2012）『瀬戸内海観光と国際芸術祭』美巧社

勝村文子他（2008）「住民によるアートプロジェクトの評価とその社会的要因―大地の芸術祭 妻有トリエンナーレを事例として―」『文化経済学』6巻1号

株式会社富士通総研（2018）平成29年度文化庁委託事業『我が国で開催される文化芸術のフェスティバルの実態等

に係る調査報告書』
株式会社日本政策投資銀行四国支店（2019）「東アジア3地域の瀬戸内国際芸術祭に関する意向調査―来訪者の関心を『瀬戸芸』から『四国』へ拡げ、地域経済効果を高める―」
金谷信子（2014）「瀬戸内国際芸術祭における公民パートナーシップ―その利点と課題」『広島国際研究』20巻
川口幸也編（2009）『展示の政治学』水声社
北川建次、関太郎、髙橋衞、印南敏秀、佐竹昭、町博光、三浦正幸編（2007）『瀬戸内海事典』南々社
北川フラム（2014）『美術は地域をひらく―大地の芸術祭の10の思想―』現代企画室
北川フラム（2015）『ひらく美術―地域と人間のつながりを取り戻す―』筑摩書房
北川フラム、瀬戸内国際芸術祭実行委員会（2011）『瀬戸内国際芸術祭2010』美術出版社
北川フラム、瀬戸内国際芸術祭実行委員会（2014）『瀬戸内国際芸術祭2013』美術出版社
北川フラム、瀬戸内国際芸術祭実行委員会（2017）『瀬戸内国際芸術祭2016』現代企画室
北川フラム、瀬戸内国際芸術祭実行委員会（2020）『瀬戸内国際芸術祭2019』青幻舎
北川フラム、瀬戸内国際芸術祭実行委員会（2022）『瀬戸内国際芸術祭2022公式ガイドブック―アートと島を巡る旅―』現代企画室
北川フラム、瀬戸内国際芸術祭実行委員会（2023）『瀬戸内国際芸術祭2022』現代企画室
熊倉純子監修（2014）『アートプロジェクト―芸術と共創する社会―』水曜社
クレアブ株式会社（2016）平成27年度文化庁委託事業『文化プロデュースによる地域振興に関する調査研究報告書』
暮沢剛巳、難波祐子編著（2008）『ビエンナーレの現在―美術を巡るコミュニティの可能性―』青弓社
小泉元宏（2012）「地域社会に『アートプロジェクト』は必要か？―接触領域としての地域型アートプロジェクト―」『地域学論集：鳥取大学地域学部紀要』9巻2号
小坂有資（2014）「ハンセン病者の社会関係の現在―大島青松園と瀬戸内国際芸術祭2010に着目して―」『保健医

療社会学論集』24巻2号
小西和著、阿津秋良口訳（１９９７、１９９８）『口訳 瀬戸内海論（上下巻）』海南文庫顕彰会
澤村明編著（２０１４）『アートは地域を変えたか—越後妻有大地の芸術祭の13年：２０００—２０１２—』慶応義塾大学出版会
サントリー不易流行研究所編、端信行監修（１９９５）『宴会とパーティー—集いの日本文化—』都市出版
シーボルト著、斉藤信訳（１９６７）『江戸参府紀行』平凡社
清水麻帆（２０１７）「芸術祭を通じた維持可能な地域の在り方に関する一考察—香川・瀬戸内芸術祭と香港・火炭の事例比較研究—」『大正大學研究紀要』１０２号
白川昌生・杉田敦編（２０１８）『芸術と労働』水声社
瀬戸内国際芸術祭実行委員会（２０１０）「瀬戸内国際芸術祭２０１０総括報告」https://setouchi-artfest.jp/files/about/archive/general-report2010.pdf
瀬戸内国際芸術祭実行委員会（２０１３）「瀬戸内国際芸術祭２０１３総括報告」https://setouchi-artfest.jp/files/about/archive/general-report2013.pdf
瀬戸内国際芸術祭実行委員会（２０１７）「瀬戸内国際芸術祭２０１６総括報告」https://setouchi-artfest.jp/files/about/archive/general-report2016.pdf
瀬戸内国際芸術祭実行委員会（２０２０）「瀬戸内国際芸術祭２０１９総括報告」https://setouchi-artfest.jp/files/about/archive/report2019.pdf
瀬戸内国際芸術祭実行委員会（２０２３）「瀬戸内国際芸術祭２０２２総括報告」https://setouchi-artfest.jp/seto_system/fileclass/img.php?fid=press_release_mst.2023020817473353026fa8191cb15baa4fc5040cf0bea1
株式会社瀬戸内人（２０１９〜２０２２）『せとうちスタイル』8巻〜14巻

田代洋久（2022）『文化力による地域の価値創出─地域ベースのイノベーション理論と展開─』水曜社
谷口文保（2019）『アートプロジェクトの可能性─芸術創造と公共政策の共創─』九州大学出版会
高松市美術館（2022）『みる誕生　鴻池朋子展　記録集高松編』
椿昇・原田祐馬・多田智美編著（2014）『小豆島にみる日本の未来のつくり方』誠文堂新光社
徳田剛（2019）「地域とアートの〝幸福な関係〟はいかにして可能か?─G・ジンメルのアイデアを参考に─」『フォーラム現代社会学』18巻
冨田将友（2013）「丸亀市塩飽本島町笠島伝統的建造物群保存地区 丸亀市塩飽本島町笠島のまち並保存に向けて」『文化庁月報』537号
中川眞（2013）『アートの力』和泉書院
中島正博（2014）「過疎高齢化する離島のまちづくりと芸術祭─瀬戸内・男木島の再生へ向けた住民の活動─」『広島国際研究』20巻
中村葉子（2014）「なぜアートはカラフルでなければいけないのか─西成特区構想とアートプロジェクト批判」『インパクション』195号、インパクト出版会
西田正憲（1997）「瀬戸内海における多島海景の返還と脇水鐵五郎・田村剛の視覚」『ランドスケープ研究』60巻5号
西田正憲（2011）『自然の風景論─自然をめぐるまなざしと表像─』清水弘文堂書房
日本弁護士連合会（2011）「国立ハンセン病療養所視察調査報告─資料編─」
額賀順子（2019～2022）「男木島図書館ができるまで。」『せとうちスタイル』8巻～14巻
祢宜田久男（1990）「中国山地と瀬戸内海をめぐって」『化学と教育』38巻4号
野田邦弘（2014）『文化政策の展開─アーツ・マネジメントと創造都市─』学芸出版社
パブロ・エルゲラ（2015）『ソーシャリー・エンゲイジド・アート入門─アートが社会と深くかかわるための10のポイント─』フィルムアート社

原直行（２０１２）「アートによる地域活性化の意義―豊島における瀬戸内国際芸術祭を事例として―」『香川大學經濟論叢』85巻（１・２）
原直行（２０２０）「瀬戸内国際芸術祭におけるインバウンド観光客の実態分析」『地域活性学会研究大会論文集』12巻
原直行（２０２１）「住民による瀬戸内国際芸術祭の評価―豊島を事例として―」『香川大學經濟論叢』93巻４号
原直行・山本暁美（２０２１）「瀬戸内国際芸術祭２０１９における日本人観光客と外国人観光客の意識動向の比較」『香川大學經濟論』94巻1号
ピアーズ・ブレンドン著、石井昭夫訳（１９９５）『トマス・クック物語―近代ツーリズムの創始者―』中央公論社
フェルディナンド・フォン・リヒトホーフェン著、海老原正雄訳（１９４３）『支那旅行日記』上巻　慶応書房
フェルディナンド・フォン・リヒトホーフェン著、上村直己訳（２０１３）『リヒトホーフェン日本滞在記―ドイツ人地理学者の観た幕末明治―』九州大学出版会
福武總一郎＋北川フラム（２０１６）『直島から瀬戸内国際芸術祭へ―美術が地域を変えた―』現代企画室
藤田直哉編著（２０１６）『地域アート―美学／制度／日本―』堀之内出版
正岡利朗（２０１７）「瀬戸内国際芸術祭と対象離島の活性化」高松大学『研究紀要』69号
三宅美緒（２０１７）「アートプロジェクトにおけるボランティア活動の持続要因の考察―瀬戸内国際芸術祭で活動するボランティアの視点から―」『文化経済学』14巻2号
宮本常一（２０００）『民俗学の旅』日本図書センター
宮本常一（２０１８）『瀬戸内文化誌』八坂書房
宮本結佳（２０１８）『アートと地域づくりの社会学―直島・大島・越後妻有にみる記憶と創造―』昭和堂
室井研二（２０１２）「瀬戸内国際芸術祭の住民評価とその規定因」香川大学瀬戸内圏研究センター編『瀬戸内海観光と国際芸術祭』美巧社
室井研二（２０１３）「離島の振興とアートプロジェクト―『瀬戸内国際芸術祭』の構想と帰結―」『地域社会学会年報』

25巻
森修一、阿戸学、石井則久（２０１９）「国立ハンセン療養所における入退所動向に関する研究―１９０９年から２０１０年の入退所者数調査から―」［訂正再掲載論文］『日本ハンセン病学会雑誌』88巻2号
山本暁美、川原晋、原直行（２０１４）「地域振興における芸術・文化活動の役割と影響―２０１３瀬戸内国際芸術祭 訪問者意識調査報告―」『観光科学研究』7号
山本暁美（２０２０）「瀬戸内国際芸術祭における訪問者の意識動向」『地域活性化学会研究大会論文集』12巻
柳哲雄（２００８）「瀬戸内海はどのような海か」『学術の動向』13巻6号
吉澤弥生（２０１９）「アートはなぜ地域に向かうのか―「社会化する芸術」の現場から―」『フォーラム現代社会学』18巻
吉田隆之（２０１５）『トリエンナーレはなにをめざすのか―都市型芸術祭の意義と展望―』水曜社
吉田隆之（２０１９）『芸術祭と地域づくり―〝祭り〟の受容から自発・協働による固有資源化へ―』水曜社
吉田東伍（１９２３）『日本歴史地理之研究』富山房
吉本光宏（２０１４）「トリエンナーレの時代―国際芸術祭は何を問いかけているのか―」『ニッセイ基礎研究所報』58巻
Jacobs,J.,*The Death and Life of Great American Cities*,Vintage Books,1961（ジェイン・ジェイコブズ『アメリカ大都市の死と生』山形浩生訳　鹿島出版会、２０１０年）
Robert D. Putnam, Robert Leonardi , Raffaella Nanetti ,*Making Democracy Work : civic traditions in modern Italy*, Princeton University Press,1994（ロバート・D・パットナム『哲学する民主主義―伝統と改革の市民的構造―』河田潤一訳、NTT出版、２００１）

あとがき

「アートの力」を、改めて考えるきっかけになったのは、１９９５年1月17日に発生した阪神淡路大震災の復興過程だった。震災の1ヶ月後に、被災した当事者によって文化の復興を目指す「アート・エイド・神戸」が立ち上げられた。さまざまな芸術がジャンルを超えて交流し、アーティストと市民、ボランティア、企業の文化支援などの幅広い連携が起こった。

翌１９９６年に始まった「南芦屋浜コミュニティ&アートプロジェクト」では、被災者のための復興住宅建設に当たって、入居後の暮らしを順調に立ち上がらせるために、建物が竣工する前から入居予定者らが集まり、新しいコミュニティをつくるためのワークショップが継続的に行われた。

集合住宅のロビーやピロティ、緑地等の公共空間では、場所の特性を活かしたアートワークや市民参加のアート活動を行い、日々の楽しみや癒やしをもたらす環境が創り出された。

中でも、田甫律子氏が屋外緑地に制作した「注文の多い楽農店」は、中庭に段々畑をつくり、住民が協働で農作業を行うことで、住民同士のつながりを深めコミュニティ形成に貢献しようという作品で、当時注目を集めた。生活の一部として機能するアートの可能性とともに、継続していくことの困難も含め、アートプロジェクトの社会的効果と課題を提起する試みであった。

２０００年代に入り、日本各地で芸術祭が開催されるようになった。地域型芸術祭は、アーティスト、住民、ボランティア、来場者、自治体職員など多様な人々の関わりによって成り立つ。人々のつながりやコミュニケーション、プロセスの共有が重視される。手間はかかるが、だからこそ地域や人に変化をもたらし、地域の価値を見直す契機になりうる。文化やアートが持つ社会的な力とは何か。芸術祭が人々の共感と活動を生み、地域の自然や産業、文化を土台にしながら、穏やかな、しかし確かな変化につながるには何が必要なのか。それを探求することが、本書のスタートであった。

調査研究に当たっては、多くの方々にお話を伺った。この場をお借りして深く感謝を申し上げます。

北川フラム氏にお話を伺ったのは、新型コロナウィルス感染拡大が続く中、第5回芸術祭の課題や対策を議論している時期であった。「島の人が開催を願ってくれるなら、何とか工夫を凝らしてやりたい」と言いながら、厳しい会議に臨んでおられた。

ニュージーランドにお住まいの福武總一郎氏には、オンラインでインタビューに応じていただいた。福武氏の「地方が輝く国づくりを」という言葉が耳に残る。文化、伝統、自然、産業、暮らしなど、日本の各地域の多様性をどう維持・活性化できるだろうか。

瀬戸内国際芸術祭の開催を決断された元香川県知事・真鍋武紀氏、芸術祭の継続・発展を牽引してこられた前香川県知事・浜田恵造氏、文化によるまちづくりを進める高松市長・大西秀人氏には、公共政策として芸術祭を開催する意義と地域創生への思いを伺った。

真の官民協働を実現する苦労と大切さを、瀬戸内国際芸術祭実行委員会事務局長を務めた佐藤今日子氏（現香川県観光協会専務理事）、同課長・幸田安隆氏に伺った。県庁の若手職員として芸術祭開催を提言した増田敬一氏にはスタート時の奮闘ぶりを聞くことができた。

福武財団事務局長・笠原良二氏には、瀬戸内国際芸術祭が始まる契機となった活動について、小豆島で「こまめ食堂」を運営している立花律子氏からは芸術祭による島民の変化を伺った。小豆島は故郷のようだと言う台湾の作家・王文志氏には、アーティストにとって瀬戸内国際芸術祭がどのような存在か、伺うことができた。

NPO法人こえびネットワーク事務局長の甘利彩子氏をはじめこえび隊の皆さん、島民の方々、船の中で、作品の空間で、ツアーで同席し、会話を交わした来場者諸氏との出会いにも感謝したい。

そして、香川県とのご縁や多くの貴重な出会いをもたらして下さった、元四国旅客鉄道株式会社会長であり、瀬戸内国際芸術祭実行委員会顧問を務めておられた梅原利之氏に、深く感謝申し上げます。

「文化の公共性と地域活性化」は、私の大学院時代からのテーマである。大学院修士課程では矢作弘先生（現龍谷大学研究フェロー）、博士課程では明石芳彦先生（現大阪商業大学教授）にご指導いただいた。改めて感謝を申し上げます。

矢作先生には、本書の編集で大変お世話になった学芸出版社・前田裕資氏との再会の機会もいただいた。重ねて御礼申し上げます。

地域が抱える課題解決は簡単ではない。それでも、地域の歴史や風土に根ざした文化的な力を顕在化しようとする試みは、各地で盛んになってきた。地域型芸術祭もその一つである。アートを媒介にした地域固有の資源の再発見である。住民の主体的関わりが生み出されることで、与えられたイベントから持続的なまちづくりにつながり、地域や人を動かしていく。

文化やアートのもつ公共性とは何か。それをどう活かして地域や社会の変革につなげていくか。地域の現場での学びからその普遍的価値を探り、論考を深めていくことを今後の課題としたい。

本書は、「令和5年度大阪商業大学出版助成費」を受けて刊行されたものである。研究、出版に際し、ご助言をいただいた先生方に感謝申し上げます。

最後に、本書の表紙に麗らかな瀬戸の海を描いてくださった銅版画家・安井寿磨子氏、装丁デザインを担ってくださった原田祐馬氏に、心より御礼申し上げます。

2023年　名残の夏、瀬戸の夕凪を思いつつ

狭間惠三子

〈著者略歴〉

狭間 恵三子（はざま　えみこ）

大阪商業大学公共学部教授。

大阪府堺市生まれ。大阪市立大学大学院創造都市研究科博士（後期）課程修了。博士（創造都市）。

サントリー株式会社、堺市副市長を経て現職。専門は、都市政策、文化政策、地域経済。フィールドワークを通して、持続可能な地域づくりについて研究している。

立命館大学衣笠総合研究機構教授（招聘研究教員）、西日本旅客鉄道株式会社取締役監査等委員、NPO法人こども環境活動支援協会代表理事を兼任。

主な著書は、『変わる盛り場―「私」がつくり遊ぶ街』（共著、学芸出版社）、『時代の気分・世代の気分―私がえりの時代に』（共著、NHK出版）ほかがある。

[本書の紹介ページ]
https://book.gakugei-pub.co.jp/gakugei-book/9784761528744

瀬戸内国際芸術祭と地域創生
現代アートと交流がひらく未来

2023年11月15日　第1版第1刷発行

著者　狭間恵三子

発行者　井口夏実
発行所　株式会社学芸出版社
京都市下京区木津屋橋通西洞院東入
電話075-343-0811　〒600-8216
http://www.gakugei-pub.jp
info@gakugei-pub.jp
編集担当　前田裕資

装画　安井寿磨子
装丁　UMA/designfarm（原田祐馬）
DTP　梁川智子
印刷　創栄図書印刷
製本　新生製本

ISBN978-4-7615-2874-4